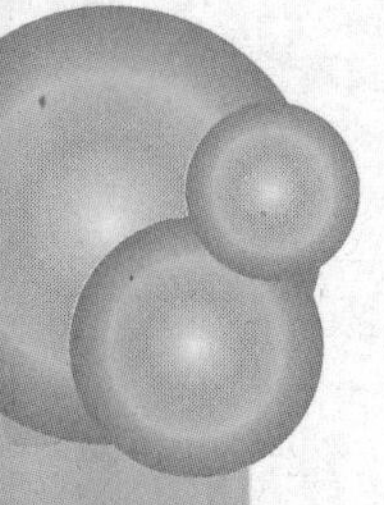

Presentación

La Secretaría de Educación Pública, en el marco de la Reforma Integral de la Educación Básica, plantea una propuesta integrada de libros de texto desde un nuevo enfoque que hace énfasis en la participación de los alumnos para el desarrollo de las competencias básicas para la vida y el trabajo. Este enfoque incorpora como apoyo Tecnologías de la Información y Comunicación (TIC), materiales y equipamientos audiovisuales e informáticos que, junto con las bibliotecas de aula y escolares, enriquecen el conocimiento en las escuelas mexicanas.

Después de varias etapas, en este ciclo se consolida la Reforma en los seis grados y, en consecuencia, se presenta esta propuesta completa de los nuevos libros de texto, que abarca la totalidad de las asignaturas en todos los grados.

Este libro de texto incluye estrategias innovadoras para el trabajo escolar, demandando competencias docentes orientadas al aprovechamiento de distintas fuentes de información, el uso intensivo de la tecnología, la comprensión de las herramientas y de los lenguajes que niños y jóvenes utilizan en la sociedad del conocimiento. Al mismo tiempo, se busca que los estudiantes adquieran habilidades para aprender de manera autónoma, y que los padres de familia valoren y acompañen el cambio hacia la escuela mexicana del futuro.

Su elaboración es el resultado de una serie de acciones de colaboración, como la Alianza por la Calidad de la Educación, así como con múltiples actores entre los que destacan asociaciones de padres de familia, investigadores del campo de la educación, organismos evaluadores, maestros y expertos en diversas disciplinas. Todos han nutrido el contenido del libro desde distintas plataformas y a través de su experiencia. A ellos, la Secretaría de Educación Pública les extiende un sentido agradecimiento por el compromiso demostrado con cada niño residente en el territorio nacional y con aquellos que se encuentran fuera de él.

Secretaría de Educación Pública

Índice

Exploración de la Naturaleza y la Sociedad

Segundo grado

Exploración de la Naturaleza y la Sociedad. Segundo grado fue desarrollado por la Dirección General de Materiales Educativos (DGME) de la Subsecretaría de Educación Básica, Secretaría de Educación Pública.

Secretaría de Educación Pública
Alonso Lujambio Irazábal

Subsecretaría de Educación Básica
José Fernando González Sánchez

Dirección General de Materiales Educativos
María Edith Bernáldez Reyes

Coordinación técnico-pedagógica
María Cristina Martínez Mercado, Ana Lilia Romero Vázquez, Alexis González Dulzaides

Autores
María del Rosario Martínez Luna, Guillermina Rodríguez Ortiz, Octavio Isario Guzmán, Ignacio Cordero Valentín, David Alejandro Valdés Toledo

Revisión técnico-pedagógica
Daniela Aseret Ortiz Martinez, Sandra Villeda Ávila, María Angélica Guillén y del Castillo, Irma Laura Mendoza González

Asesores
Lourdes Amaro Moreno, Leticia María de los Ángeles González Arredondo, Óscar Palacios Ceballos

Coordinación editorial
Dirección Editorial, DGME, SEP
Alejandro Portilla de Buen, Pablo Martínez Lozada, Zamná Heredia Delgado, Esther Pérez Guzmán

Cuidado editorial
Sergio Campos Peláez

Producción editorial
Martín Aguilar Gallegos

Diseño
Jéssica Berenice Géniz Ramírez, Magali Gallegos Vázquez

Investigación iconográfica
Diana Mayén Pérez, Martín Córdova Salinas

Ilustración
Flavia Zorrilla (pp. 5, 9-11, 13, 15-16, 19-22, 24-25, 34-36, 159, 161, 163-164), María José Ramírez (pp. 4, 37-39, 42, 44-45, 48-50, 58-60, 151), José Luis Briseño (pp. 61-66, 69-73, 75, 78, 143), Blanca Nayelli Barrera (pp. 4-5, 79-81-85, 87-88, 90-92, 96-99, 100, 135, 137, 139), Enrique Martínez (pp. 101, 103-105, 111-113, 118), Francisco de Anda (p. 127), Herenia González (pp. 129, 131), Luis Carreño (pp. 31, 57, 74, 97); Alejandro Herrerías (pp. 76-77, 116-117)

Portada
Diseño de colección: Carlos Palleiro
Ilustración de portada: Margarita Sada

Primera edición, 2010
Segunda edición, 2011 (Ciclo escolar 2011-2012)

ISBN: 978-607-469-664-6

Impreso en México
DISTRIBUCIÓN GRATUITA-PROHIBIDA SU VENTA

Agradecimientos
La Secretaría de Educación Pública agradece a los más de 40 284 maestros y maestras, a las autoridades educativas de todo el país, al Sindicato Nacional de Trabajadores de la Educación, a expertos académicos, a los Coordinadores Estatales de Asesoría y Seguimiento para la Articulación de la Educación Básica, a los Coordinadores Estatales de Asesoría y Seguimiento para la Reforma de la Educación Primaria, a monitores, asesores y docentes de escuelas normales, por colaborar en la revisión de las diferentes versiones de los libros de texto llevada a cabo durante las Jornadas Nacionales y Estatales de Exploración de los Materiales Educativos y las Reuniones Regionales, realizadas en 2008 y 2009. Así como a la Dirección General de Desarrollo Curricular, Dirección General de Educación Indígena, Dirección General de Desarrollo de la Gestión e Innovación Educativa.

La SEP extiende un especial agradecimiento a la OEI, por su participación en el desarrollo de esta edición.

También se agradece el apoyo de las siguientes instituciones: Universidad Nacional Autónoma de México, Centro de Educación y Capacitación para el Desarrollo Sustentable de la Secretaría del Medio Ambiente y Recursos Naturales, Secretaría del Trabajo y Previsión Social, Ministerio de Educación de la República de Cuba. Asimismo, la Secretaría de Educación Pública extiende su agradecimiento a todas aquellas personas e instituciones que de manera directa e indirecta contribuyeron a la realización del presente libro de texto.

Conoce tu libro

Este libro lo integran cinco bloques con actividades que te ayudarán a explorar, observar y descubrir características de tu cuerpo y de la historia de tu comunidad, además conocerás más de la naturaleza.

En cada bloque elaborarás un trabajo final que deberás organizar y compartir. Los trabajos son: portafolio, maqueta, periódico mural y mapa mental. En el bloque cinco utilizarás lo que aprendiste en el año para realizar un proyecto que ayude a mejorar tu comunidad.

Al inicio del bloque:

Información de lo que realizarás durante el bloque, así como indicaciones del trabajo final.

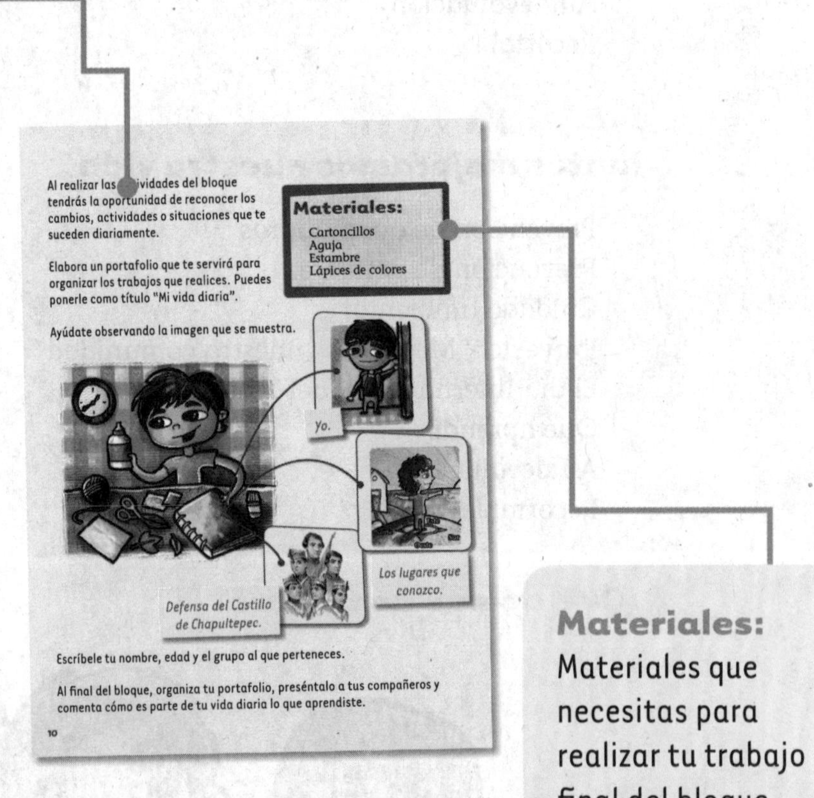

Al realizar las actividades del bloque tendrás la oportunidad de reconocer los cambios, actividades o situaciones que te suceden diariamente.

Elabora un portafolio que te servirá para organizar los trabajos que realices. Puedes ponerle como título "Mi vida diaria".

Ayúdate observando la imagen que se muestra.

Materiales:

Cartoncillos
Aguja
Estambre
Lápices de colores

Yo.

Los lugares que conozco.

Defensa del Castillo de Chapultepec.

Escríbele tu nombre, edad y el grupo al que perteneces.

Al final del bloque, organiza tu portafolio, preséntalo a tus compañeros y comenta cómo es parte de tu vida diaria lo que aprendiste.

10

Materiales: Materiales que necesitas para realizar tu trabajo final del bloque.

En cada lección:

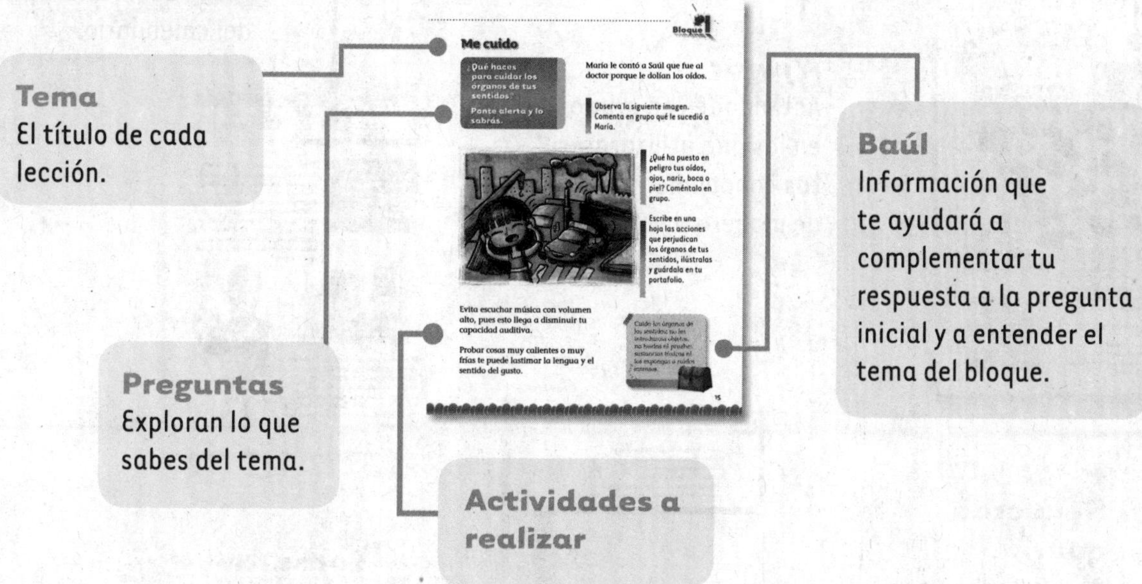

Tema
El título de cada lección.

Baúl
Información que te ayudará a complementar tu respuesta a la pregunta inicial y a entender el tema del bloque.

Preguntas
Exploran lo que sabes del tema.

Actividades a realizar

Al final del bloque:

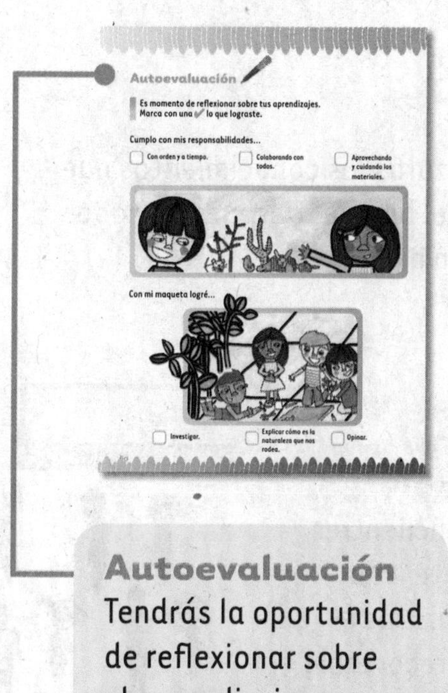

Qué aprendí
Identificarás los aprendizajes que obtuviste en el bloque.

Autoevaluación
Tendrás la oportunidad de reflexionar sobre el aprendizaje que lograste.

Tu libro presenta las siguientes secciones:

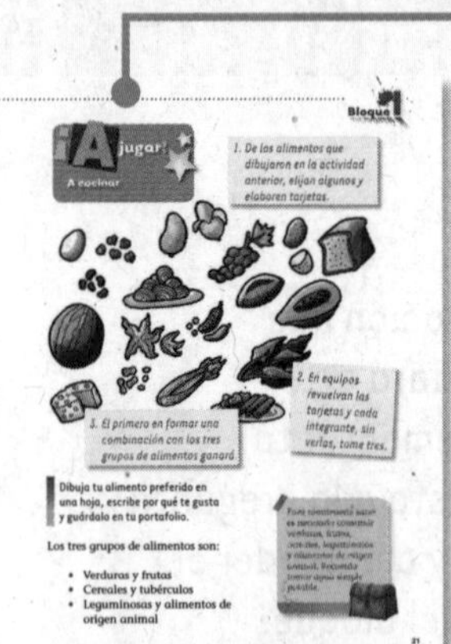
Bloque 1

¡A jugar!

A cocinar

1. De los alimentos que dibujaron en la actividad anterior, elijan algunos y elaboren tarjetas.

2. En equipos revuelvan las tarjetas y cada integrante, sin verlas, tome tres.

3. El primero en formar una combinación con los tres grupos de alimentos ganará.

Dibuja tu alimento preferido en una hoja, escribe por qué te gusta y guárdalo en tu portafolio.

Los tres grupos de alimentos son:

- Verduras y frutas
- Cereales y tubérculos
- Leguminosas y alimentos de origen animal

21

A jugar
Actividades en grupo en las que utilizarás tus conocimientos de manera divertida.

Línea de tiempo
Fecha conmemorativa del calendario.

La Bandera Nacional

¿Cuál es el origen y significado del Escudo Nacional y de los colores de la Bandera? Búsenlo y lo sabrás.

Al investigar sobre el origen de la Bandera Nacional, Paola encontró lo siguiente: los colores de la Bandera tienen su origen en la Bandera Trigarante, con la que se declaró la independencia mexicana de España en 1821. En ese entonces se le dio el siguiente significado: el verde simbolizaba la independencia, el blanco la pureza y el rojo la unión de los mexicanos.

El Escudo Nacional Mexicano se inspira en una leyenda prehispánica, según la cual Huitzilopochtli, el más importante de los dioses mexicas, les dijo que encontrarían el lugar adecuado para fundar Tenochtitlan cuando hallaran un águila parada sobre un nopal devorando una serpiente.

Agustín de Iturbide

Recuerda que...
Recomendaciones que te ayudarán a cuidar tu salud.

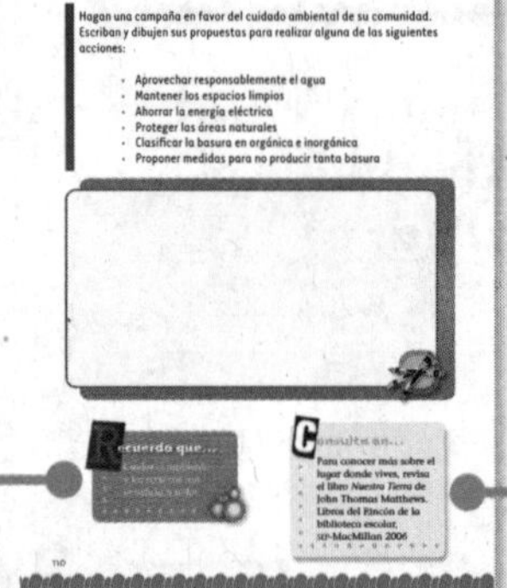
Hagan una campaña en favor del cuidado ambiental de su comunidad. Escriban y dibujen sus propuestas para realizar alguna de las siguientes acciones:

- Aprovechar responsablemente el agua
- Mantener los espacios limpios
- Ahorrar la energía eléctrica
- Proteger las áreas naturales
- Clasificar la basura en orgánica e inorgánica
- Proponer medidas para no producir tanta basura

Recuerda que...

Consulta en...

Para conocer más sobre el lugar donde vives, revisa el libro *Nuestra Tierra* de John Thomas Matthews. Libros del Rincón de la Biblioteca escolar, SEP-MacMillan 2006.

Consulta en...
Fuentes donde puedes encontrar más información sobre cada tema.

Bloque 1

Preguntón

Recorta los tableros de las páginas 159 y 161 y únelos; después, recorta las tarjetas de las páginas 155 y 157.

Lee las instrucciones que se encuentran al reverso de la página 159 y juega con tus compañeros o familiares.

Las tarjetas de estas páginas pertenecen al primer nivel. Al terminar cada bloque, obtendrás más tarjetas para avanzar a otros niveles.

Preguntón
Juego en el que utilizarás los conocimientos que hayas adquirido en el bloque. Después de cada bloque avanzarás un nivel.

Un dato interesante
Información relacionada con el tema que estás trabajando.

Observa el Plato del Bien Comer. Identifica a qué grupo de alimentos pertenece lo que consumes. Revisa si en tu dieta y en la de tus compañeros se incluyen alimentos de los tres grupos.

Un dato interesante

El consumo elevado de grasas y golosinas coloca a México en el primer lugar de obesidad infantil en el mundo.

El sobrepeso es más común en los niños y la obesidad en las niñas.

En el siguiente Plato del Bien Comer dibuja los alimentos que existen en el lugar donde vives. Ubícalos donde corresponde.

Sección recortable
Cuando encuentres el siguiente icono utilizarás el material recortable ubicado en las últimas páginas del libro.

Sección recortable

Página 14

Bloque 1

Mi vida diaria

Al realizar las actividades del bloque tendrás la oportunidad de reconocer los cambios, actividades o situaciones que te suceden diariamente.

Materiales:

- Cartoncillos
- Aguja
- Estambre
- Lápices de colores

Elabora un portafolio que te servirá para organizar los trabajos que realices. Puedes ponerle como título "Mi vida diaria".

Ayúdate observando la imagen que se muestra.

Escríbele tu nombre, edad y el grupo al que perteneces.

Al final del bloque, organiza tu portafolio, preséntalo a tus compañeros y comenta cómo es parte de tu vida diaria lo que aprendiste.

He cambiado

¿Cómo has cambiado?

Descúbrelo.

Esta semana María y Saúl inician el segundo grado de primaria. Ellos notan que han cambiado y que sus demás compañeros también.

Observa las imágenes siguientes.

Escribe en tu cuaderno los cambios que encuentres de María y Saúl cuando estaban en primer grado y ahora que inician segundo.

Consigue una foto o elabora un dibujo de cómo eras cuando iniciaste el primer grado, y otra actual. ¿En qué cambiaste? Pega tu foto o dibujo en una hoja y escribe cuáles fueron tus cambios. Al reverso de la hoja dibuja cómo imaginas que serás de adulto. Guarda tu trabajo en tu portafolio.

Observa los siguientes calendarios. Cuenta los meses que han pasado desde que entraste a la primaria, anota el año al que pertenecen.

AGOSTO

D	L	M	M	J	V	S
1	2	3	4	5	6	7
8	9	10	11	12	13	14
15	16	17	18	19	20	21
22	23	24	25	26	27	28
29	30	31				

SEPTIEMBRE

D	L	M	M	J	V	S
			1	2	3	4
5	6	7	8	9	10	11
12	13	14	15	16	17	18
19	20	21	22	23	24	25
26	27	28	29	30		

OCTUBRE

D	L	M	M	J	V	S
					1	2
3	4	5	6	7	8	9
10	11	12	13	14	15	16
17	18	19	20	21	22	23
24	25	26	27	28	29	30
31						

NOVIEMBRE

D	L	M	M	J	V	S
	1	2	3	4	5	6
7	8	9	10	11	12	13
14	15	16	17	18	19	20
21	22	23	24	25	26	27
28	29	30				

DICIEMBRE

D	L	M	M	J	V	S
			1	2	3	4
5	6	7	8	9	10	11
12	13	14	15	16	17	18
19	20	21	22	23	24	25
26	27	28	29	30	31	

ENERO

D	L	M	M	J	V	S
						1
2	3	4	5	6	7	8
9	10	11	12	13	14	15
16	17	18	19	20	21	22
23	24	25	26	27	28	29
30	31					

FEBRERO

D	L	M	M	J	V	S
		1	2	3	4	5
6	7	8	9	10	11	12
13	14	15	16	17	18	19
20	21	22	23	24	25	26
27	28					

MARZO

D	L	M	M	J	V	S
		1	2	3	4	5
6	7	8	9	10	11	12
13	14	15	16	17	18	19
20	21	22	23	24	25	26
27	28	29	30	31		

ABRIL

D	L	M	M	J	V	S
					1	2
3	4	5	6	7	8	9
10	11	12	13	14	15	16
17	18	19	20	21	22	23
24	25	26	27	28	29	30

MAYO

D	L	M	M	J	V	S
1	2	3	4	5	6	7
8	9	10	11	12	13	14
15	16	17	18	19	20	21
22	23	24	25	26	27	28
29	30	31				

JUNIO

D	L	M	M	J	V	S
			1	2	3	4
5	6	7	8	9	10	11
12	13	14	15	16	17	18
19	20	21	22	23	24	25
26	27	28	29	30		

JULIO

D	L	M	M	J	V	S
					1	2
3	4	5	6	7	8	9
10	11	12	13	14	15	16
17	18	19	20	21	22	23
24	25	26	27	28	29	30
31						

Año ____________

AGOSTO

D	L	M	M	J	V	S
	1	2	3	4	5	6
7	8	9	10	11	12	13
14	15	16	17	18	19	20
21	22	23	24	25	26	27
28	29	30	31			

SEPTIEMBRE

D	L	M	M	J	V	S
				1	2	3
4	5	6	7	8	9	10
11	12	13	14	15	16	17
18	19	20	21	22	23	24
25	26	27	28	29	30	

OCTUBRE

D	L	M	M	J	V	S
						1
2	3	4	5	6	7	8
9	10	11	12	13	14	15
16	17	18	19	20	21	22
23	24	25	26	27	28	29
30	31					

NOVIEMBRE

D	L	M	M	J	V	S
		1	2	3	4	5
6	7	8	9	10	11	12
13	14	15	16	17	18	19
20	21	22	23	24	25	26
27	28	29	30			

DICIEMBRE

D	L	M	M	J	V	S
				1	2	3
4	5	6	7	8	9	10
11	12	13	14	15	16	17
18	19	20	21	22	23	24
25	26	27	28	29	30	31

ENERO

D	L	M	M	J	V	S
1	2	3	4	5	6	7
8	9	10	11	12	13	14
15	16	17	18	19	20	21
22	23	24	25	26	27	28
29	30	31				

FEBRERO

D	L	M	M	J	V	S
			1	2	3	4
5	6	7	8	9	10	11
12	13	14	15	16	17	18
19	20	21	22	23	24	25
26	27	28	29			

MARZO

D	L	M	M	J	V	S
				1	2	3
4	5	6	7	8	9	10
11	12	13	14	15	16	17
18	19	20	21	22	23	24
25	26	27	28	29	30	31

ABRIL

D	L	M	M	J	V	S
1	2	3	4	5	6	7
8	9	10	11	12	13	14
15	16	17	18	19	20	21
22	23	24	25	26	27	28
29	30					

MAYO

D	L	M	M	J	V	S
		1	2	3	4	5
6	7	8	9	10	11	12
13	14	15	16	17	18	19
20	21	22	23	24	25	26
27	28	29	30	31		

JUNIO

D	L	M	M	J	V	S
					1	2
3	4	5	6	7	8	9
10	11	12	13	14	15	16
17	18	19	20	21	22	23
24	25	26	27	28	29	30

JULIO

D	L	M	M	J	V	S
1	2	3	4	5	6	7
8	9	10	11	12	13	14
15	16	17	18	19	20	21
22	23	24	25	26	27	28
29	30	31				

Año ____________

¿Cuántos años y meses han pasado? ____________________

Recorta las páginas 165 y 167, cada dos meses dibújate y escribe los cambios que se solicitan.

En la estatura, el peso, el tamaño de los pies o la muda de los dientes puedes observar que con el paso del tiempo tu cuerpo cambia.

A quién me parezco

¿A qué familiar te pareces?

Compárate y lo descubrirás.

Saúl le pidió a su mamá que le enseñara fotos de la familia. Al verlas se dio cuenta de que se parece a su abuelo.

Observa y comenta en qué se parecen las personas de cada imagen.

Recorta la página 163 y forma familias con los personajes. Compara y comenta tu trabajo con un compañero. ¿Por qué decidiste formar las familias de esa manera?

Consigue fotografías de tu familia. Descubre quiénes se parecen a ti, ya sea en el color de piel, ojos, cabello o la forma de la nariz. También identifica si tus gestos se parecen a los de algún familiar.
Escríbelo en una hoja, pega la foto y guárdala en tu portafolio.

El color de piel, los ojos o el cabello son algunos de los rasgos en los que puedes observar similitudes con tu familia.

Me cuido

¿Qué haces para cuidar los órganos de tus sentidos?

Ponte alerta y lo sabrás.

María le contó a Saúl que fue al doctor porque le dolían los oídos.

Observa la siguiente imagen. Comenta en grupo qué le sucedió a María.

¿Qué ha puesto en peligro tus oídos, ojos, nariz, boca o piel? Coméntalo en grupo.

Escribe en una hoja las acciones que perjudican los órganos de tus sentidos, ilústralas y guárdala en tu portafolio.

Evita escuchar música con volumen alto, pues esto llega a disminuir tu capacidad auditiva.

Probar cosas muy calientes o muy frías te puede lastimar la lengua y el sentido del gusto.

Cuida los órganos de los sentidos: no les introduzcas objetos, no huelas ni pruebes sustancias tóxicas ni los expongas a ruidos intensos.

¿Cómo nos ayuda la tecnología, si los órganos de los sentidos no nos funcionan correctamente?

Averígualo.

Durante su visita al médico, María conoció a Octavio, un niño que no podía ver, y le preguntó a su mamá cómo puede caminar sin ver.

Consulta en...

Para conocer más sobre tus sentidos revisa el libro *¿Para qué sirven los sentidos?* de Judy Tatchell. Libros del Rincón de la biblioteca escolar. Ed. USBORNE, 2004.

¿Cómo realizan sus actividades las personas que tienen dificultad para oír, ver o caminar? Coméntalo.

¡A jugar!

Veo, no veo

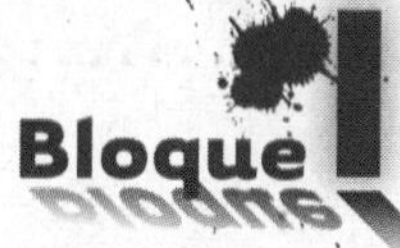

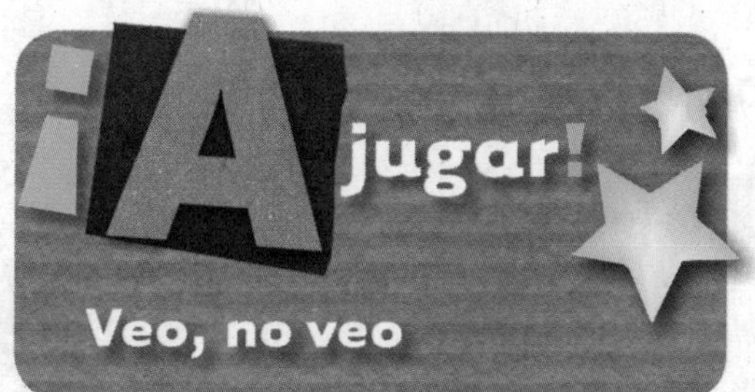

1. *Elige una pareja para el juego. Cubre los ojos de tu compañero con un paliacate.*

2. *Pídele que camine sin ayuda.*

3. *Ahora, ayúdale a desplazarse.*

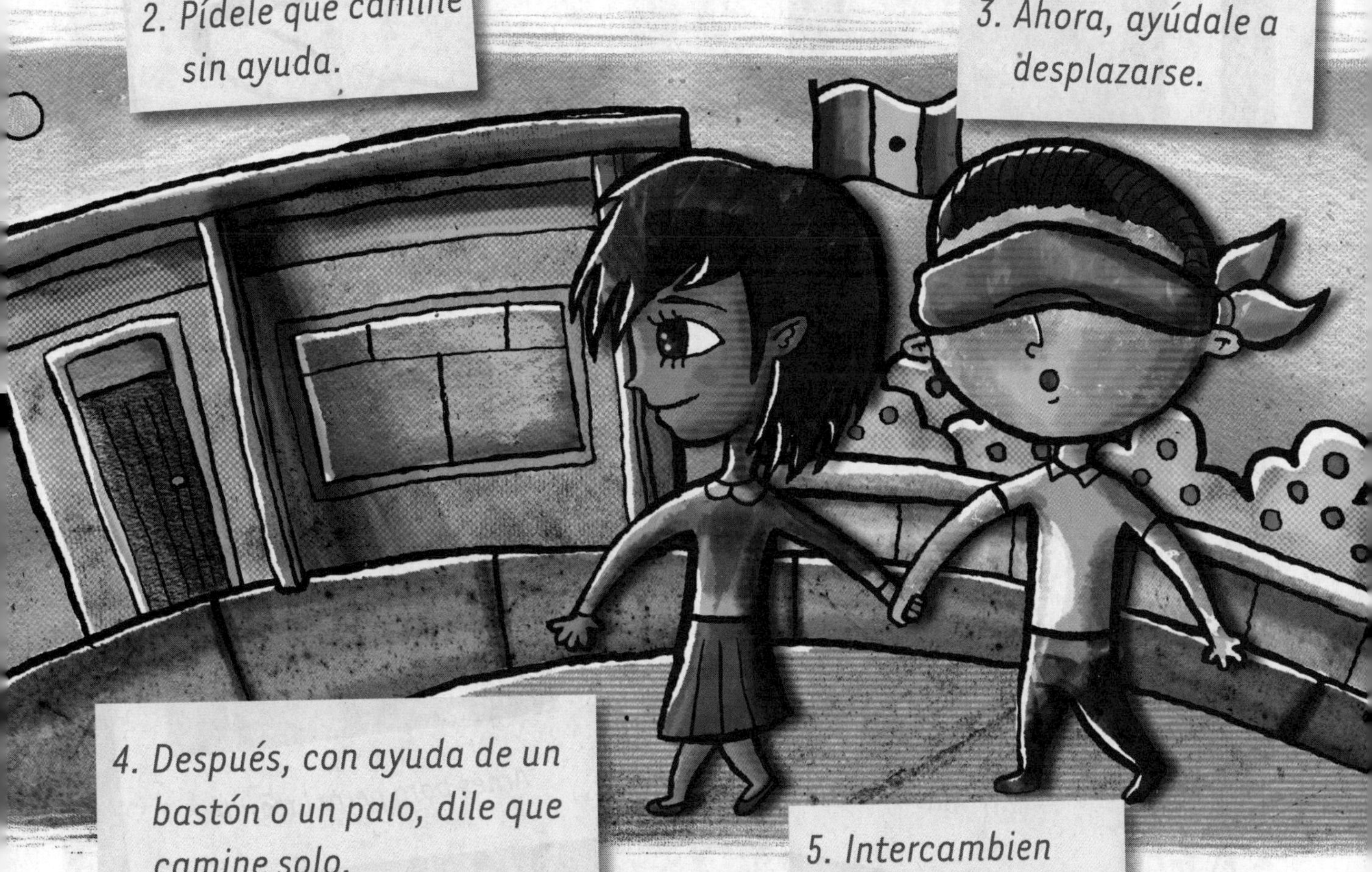

4. *Después, con ayuda de un bastón o un palo, dile que camine solo.*

5. *Intercambien papeles y repitan el juego.*

¿Qué sentiste al no poder ver? ¿Cómo te ayudó el bastón para caminar? ¿Cómo te sentiste cuando te ayudaron? Platícalo en grupo.

Los científicos han inventado aparatos que ayudan a mejorar la condición de vida de las personas que sufrieron daños en sus ojos, oídos u otras partes del cuerpo.

Investiga cómo ayudan estos aparatos a las personas que lo necesitan y escríbelo en tu cuaderno.

Auxiliar auditivo

Anteojos

Bastón

Arnés para perro lazarillo

Busca y dibuja algún aparato científico o tecnológico que ayude a compensar la disminución en las funciones de algún órgano de los sentidos, y escribe para qué sirve. Coméntalo. Guarda tu hoja en tu portafolio.

La tecnología ayuda a compensar alguna función de los órganos de los sentidos cuando su capacidad está disminuida.

Los alimentos

¿Cuáles alimentos necesitas consumir para mantenerte sano?

Identifícalos.

Saúl le contó a su mamá que su amiga Josefina se había enfermado por comer muchas frituras y dulces.

Identifica los alimentos que consumes. En el siguiente cuadro anota los alimentos que comiste ayer y la hora en que lo hiciste.

Mañana	Tarde	Noche

En grupo hagan otra tabla con la información. Analicen cuáles son los alimentos que más consumen.

Recuerda que...

Consumir poca sal en los alimentos contribuye a mantenerte sano y a disminuir el riesgo de sufrir enfermedades del corazón.

Observa el Plato del Bien Comer. Identifica a qué grupo de alimentos pertenece lo que consumes. Revisa si en tu dieta y en la de tus compañeros se incluyen alimentos de los tres grupos.

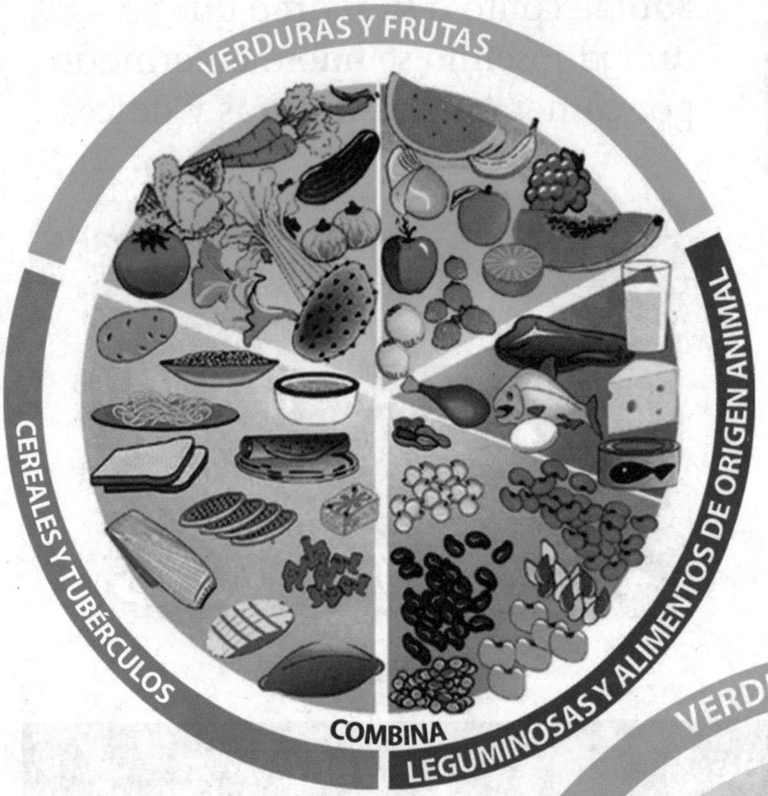

VERDURAS Y FRUTAS
CEREALES Y TUBÉRCULOS
LEGUMINOSAS Y ALIMENTOS DE ORIGEN ANIMAL
COMBINA

Un dato interesante

El consumo elevado de grasas y golosinas coloca a México en el primer lugar de obesidad infantil en el mundo.

El sobrepeso es más común en las niñas y la obesidad en los niños.

En el siguiente Plato del Bien Comer dibuja los alimentos que existen en el lugar donde vives. Ubícalos donde corresponde.

VERDURAS Y FRUTAS
CEREALES Y TUBÉRCULOS
LEGUMINOSAS Y ALIMENTOS DE ORIGEN ANIMAL

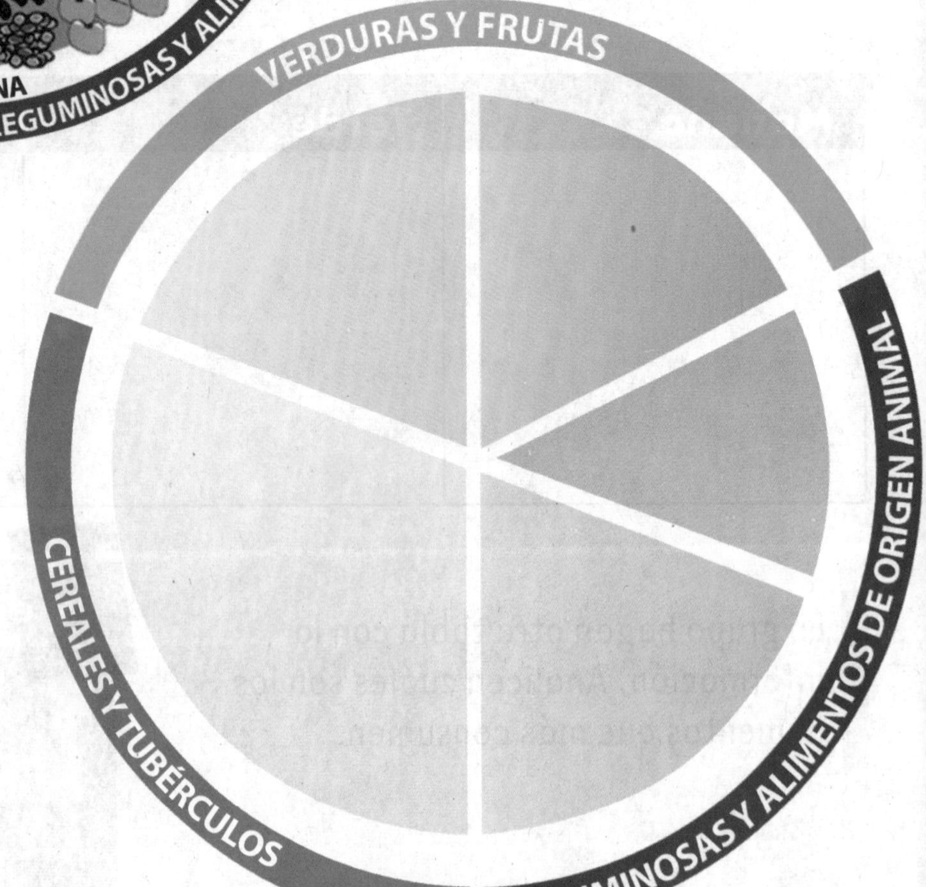

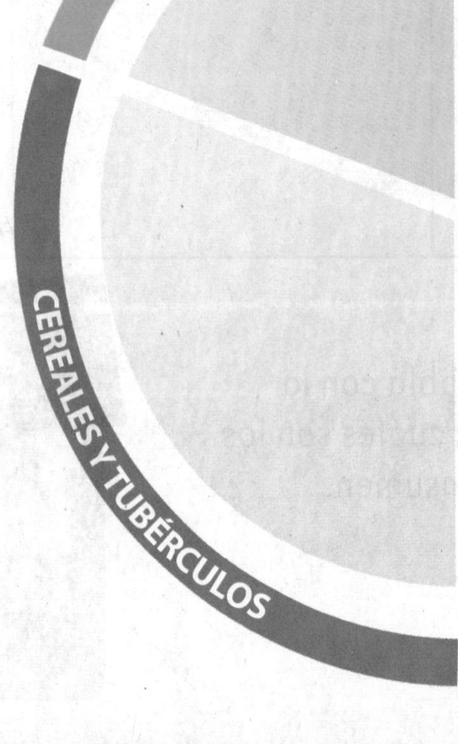

1. De los alimentos que dibujaron en la actividad anterior, elijan algunos y elaboren tarjetas.

2. En equipos revuelvan las tarjetas y cada integrante, sin verlas, tome tres.

3. El primero en formar una combinación con los tres grupos de alimentos ganará.

Dibuja tu alimento preferido en una hoja, escribe por qué te gusta y guárdalo en tu portafolio.

Los tres grupos de alimentos son:

- Verduras y frutas
- Cereales y tubérculos
- Leguminosas y alimentos de origen animal

Para mantenerte sano es necesario consumir verduras, frutas, cereales, leguminosas y alimentos de origen animal. Recuerda tomar agua simple potable.

Mi escuela cambia

¿Cuáles son los cambios que tuvo la escuela ahora que pasaste a segundo grado?

Obsérvalos.

Al regresar de las vacaciones, Javier observó que la escuela se veía diferente.

Haz un recorrido por tu escuela e identifica los cambios que sucedieron durante las vacaciones.

Entrevista a maestros y compañeros y pregúntales: ¿cómo estaba la escuela antes? ¿Cómo está ahora?
Escribe sus respuestas.

____

____

____

Comenta lo que investigaste. Además, platica y escribe si cambiaste de maestro o de salón y cómo te sientes con ello.

____

____

____

Recuerda que...

Ayudar en las labores en casa y escuela, así como caminar, pasear a tu mascota, subir y bajar las escaleras, jugar al aire libre, son actividades físicas que te ayudan a mantener una buena salud.

El estado de la pintura, las bancas, las canchas, lo alto de las plantas son algunas cosas en las que te puedes dar cuenta de los cambios de la escuela.

Cómo me oriento

¿Cómo localizas lugares?

Observando te orientarás.

Otro de los cambios que observó Javier en su escuela fue que su salón de clases ya no era el mismo al que asistía el año anterior. Él quiere saber dónde se encuentra el nuevo.

Haz lo mismo que Javier. Muy temprano colócate frente al lugar por donde sale el Sol, y extiende tus brazos: el izquierdo señalará hacia el norte, el derecho al sur, tu espalda hacia el oeste, y de frente encontrará el este. Éstos son los puntos cardinales.

¿En qué dirección se encuentra el Sol al amanecer?, ¿y al atardecer? Señala el recorrido del Sol con tu mano.

Dibuja en una hoja el croquis de tu escuela. Utiliza los puntos cardinales para localizar tu salón y otros lugares de interés. Guárdala en tu portafolio.

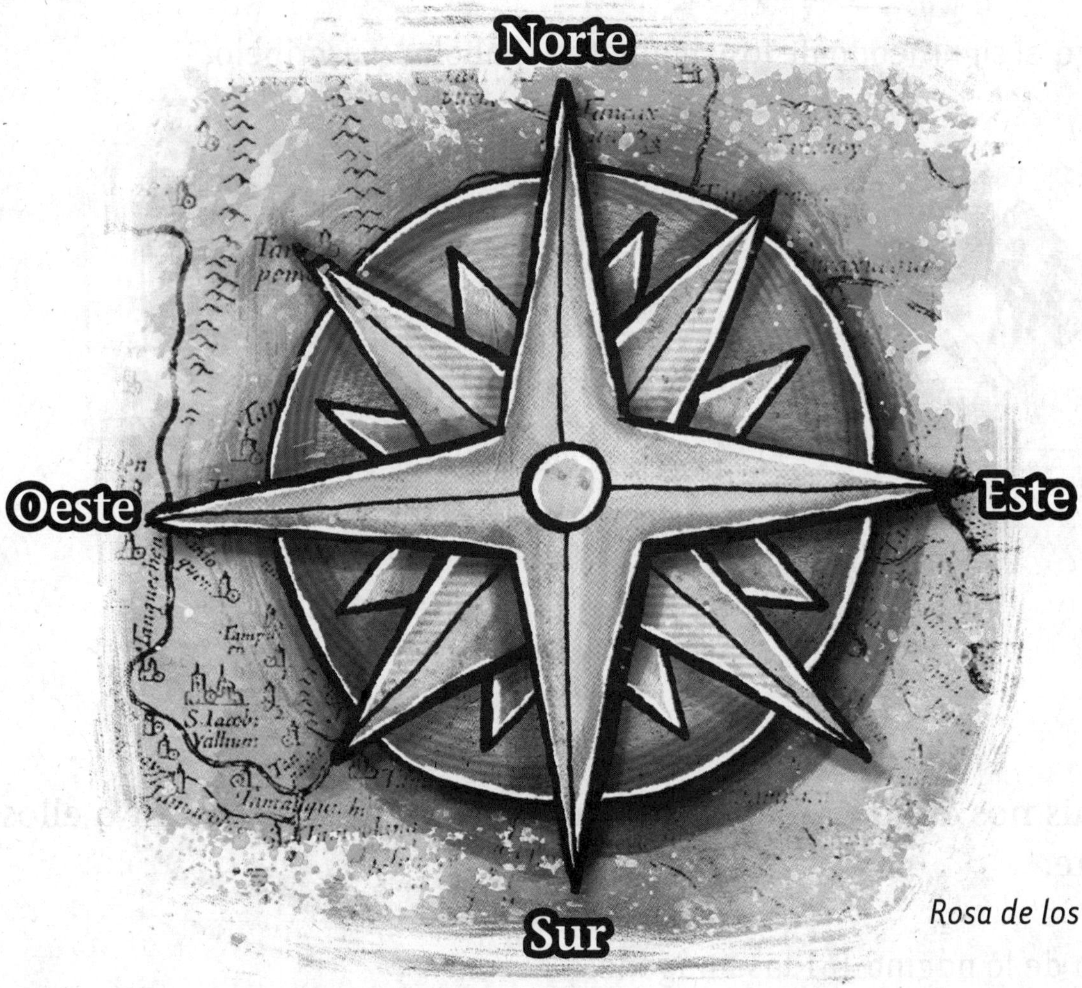

Rosa de los vientos

Un dato interesante

El símbolo que representa los puntos cardinales se llama "rosa de los vientos".

Al utilizar los puntos cardinales norte, sur, este y oeste puedes localizar lugares.

¿Qué elementos empleas para elaborar un croquis?

Fíjate y los conocerás.

Contesta, ¿qué camino sigues para llegar a tu casa? ¿Qué observas en el trayecto?

___

___

Investiga el significado de los siguientes símbolos y escríbelo.

Los croquis nos ayudan a localizar lugares cercanos y a llegar a ellos fácilmente.

3 Recorta de la página 161 las imágenes que necesites para representar el recorrido que realizas de tu casa a la escuela. Dibuja los elementos que te hagan falta. Hazlo en tu cuaderno. Con la ayuda de tu croquis y los puntos cardinales, explica a tus compañeros el recorrido que sigues para llegar a tu casa.

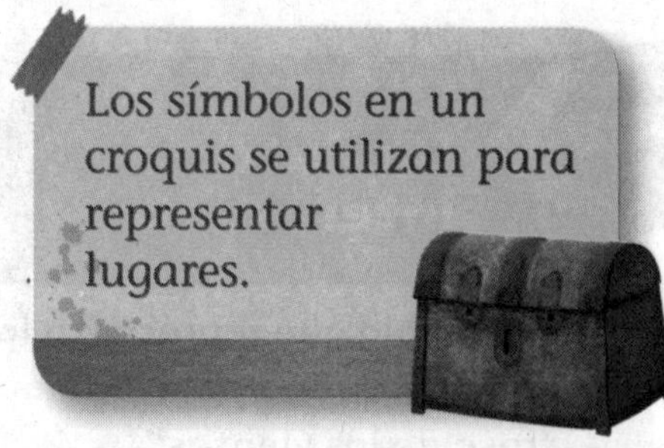

Los símbolos en un croquis se utilizan para representar lugares.

El lugar donde vivo está en México

¿Dónde vives? ¿En un pueblo o en una ciudad?

Al explorar lo sabrás.

Javier le llevó a Sandra las fotografías de algunos lugares que ha visitado.

Observa las fotografías y coméntalas.

San Cristóbal de las Casas, Chiapas

Panorámica en Guerrero

Ciudad de México

Zacatecas

¿El lugar donde vives es parecido a alguna de las imágenes? __________

¿Por qué? ____

____

Escribe el nombre del lugar donde vives:

____

____

Comenta con tu maestro a qué entidad pertenece. Escríbelo en la siguiente línea.

____

Investiga el significado del nombre de nuestro país. Coméntalo con tus compañeros.

____

____

____

Con ayuda de tu maestro, en el mapa de la página siguiente, localiza tu entidad, coloréala y escribe el nombre de tu país.

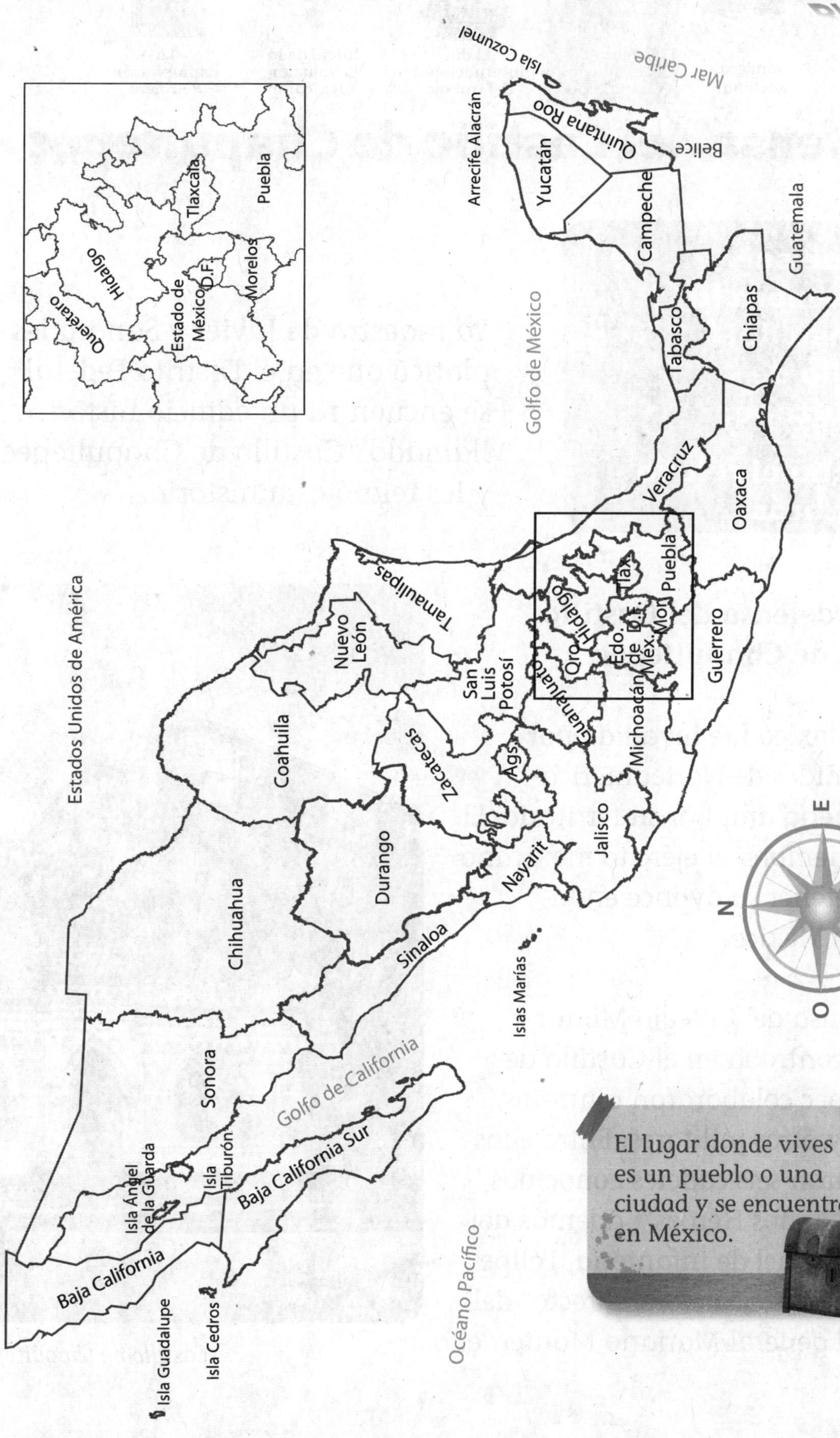
Estados Unidos de América
Baja California
Baja California Sur
Sonora
Chihuahua
Coahuila
Nuevo León
Tamaulipas
Sinaloa
Durango
Zacatecas
San Luis Potosí
Nayarit
Ags.
Jalisco
Guanajuato
Qro.
Hidalgo
Michoacán
Edo. de Méx.
D.F.
Mor.
Tlax.
Puebla
Veracruz
Guerrero
Oaxaca
Chiapas
Tabasco
Campeche
Yucatán
Quintana Roo
Guatemala
Belice
Mar Caribe
Isla Cozumel
Arrecife Alacrán
Golfo de México
Golfo de California
Océano Pacífico
Islas Marías
Isla Guadalupe
Isla Cedros
Isla Ángel de la Guarda
Isla Tiburón
Querétaro
Hidalgo
Estado de México
D.F.
Morelos
Tlaxcala
Puebla
N
S
E
O

El lugar donde vives es un pueblo o una ciudad y se encuentra en México.

La defensa del Castillo de Chapultepec

¿Por qué se conmemora la defensa del Castillo de Chapultepec?

Escucha el relato y lo sabrás.

La maestra de Javier y Sandra les platicó que en el Distrito Federal se encuentra un edificio histórico llamado "Castillo de Chapultepec", y les relató esta historia.

La defensa del Castillo de Chapultepec

En 1847 México fue invadido por Estados Unidos de Norteamérica porque quería ampliar su territorio. El 13 de septiembre, el ejército mexicano intentó detener su avance en la Ciudad de México.

En la defensa del Colegio Militar que se encontraba en el Castillo de Chapultepec colaboraron alumnos, maestros y otros militares. Entre ellos se destacaron seis cadetes conocidos como los "Niños Héroes"; además del teniente coronel de infantería, Felipe Santiago Xicoténcatl, y el director del colegio, el general Mariano Monterde.

Castillo de Chapultepec

Al ver que, a pesar de los bombardeos, los mexicanos no se rendían, el ejército estadunidense decidió escalar el cerro y los muros del Castillo. Los cadetes se concentraron en las terrazas y en la enfermería, y lucharon cuerpo a cuerpo contra los atacantes.

Juan de la Barrera

Agustín Melgar

Juan Escutia

Francisco Márquez

Vicente Suárez

Fernando Montes de Oca

Comenta en grupo:
¿Qué piensas sobre lo que sucedió en el Castillo de Chapultepec?

Haz un dibujo sobre el relato que contó la maestra de Sandra. Guárdalo en tu portafolio.

¿Cómo se resuelven los conflictos en tu salón? Anótalo.

____

____

____

____

Relata en una hoja cómo has resuelto un problema, y guárdala en tu portafolio.

Haz un dibujo acerca de cómo resolver un conflicto.

La defensa del Castillo de Chapultepec se conmemora porque México se defendió de la invasión extranjera.

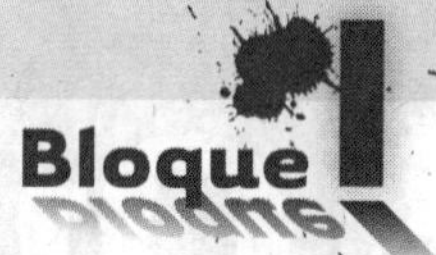

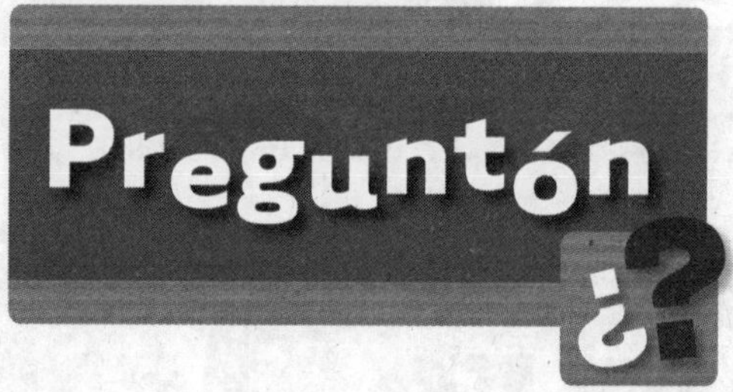

Preguntón ¿?

4 Recorta los tableros de las páginas 159 y 161 y únelos; después, recorta las tarjetas de las páginas 155 y 157.

Lee las instrucciones que se encuentran al reverso de la página 159 y juega con tus compañeros o familiares.

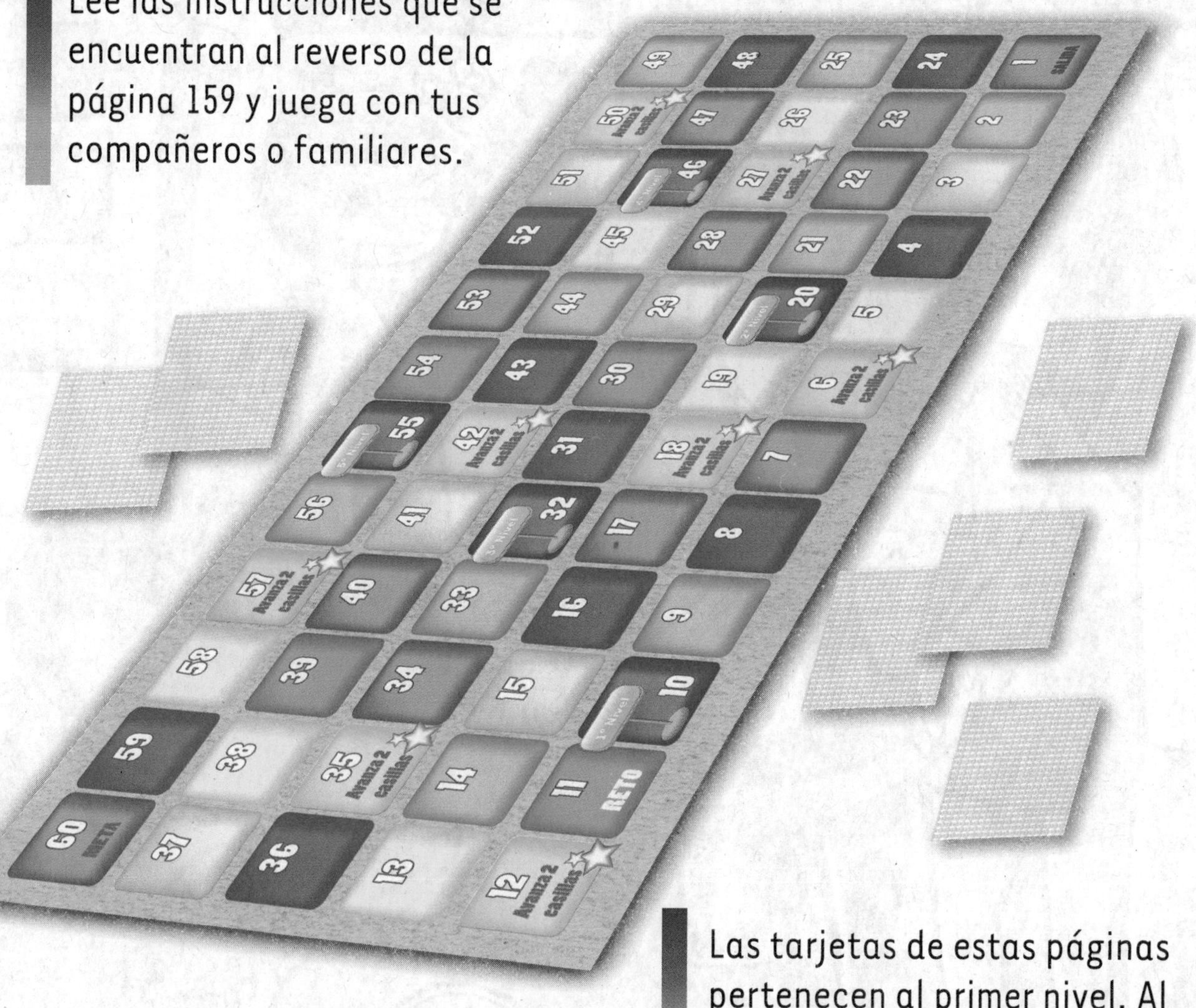

Las tarjetas de estas páginas pertenecen al primer nivel. Al terminar cada bloque, obtendrás más tarjetas para avanzar a otros niveles.

Qué aprendí

Identifica y encierra en la imagen el contenido del baúl, de acuerdo con el color que corresponda.

¿Qué aspectos de tu vida diaria descubriste con ayuda del baúl? Coméntalo con tus compañeros.

En la estatura, el peso, el tamaño de los pies o la muda de los dientes puedes observar que con el paso del tiempo tu cuerpo cambia.

El color de piel, los ojos o el cabello son algunos de los rasgos en los que puedes observar similitudes con tu familia.

Cuida los órganos de los sentidos: no les introduzcas objetos, no huelas ni pruebes sustancias tóxicas ni los expongas a ruidos intensos.

La tecnología ayuda a compensar alguna función de los órganos de los sentidos cuando su capacidad está disminuida.

Para mantenerte sano es necesario consumir verduras, frutas, cereales, leguminosas y alimentos de origen animal. Recuerda tomar agua simple potable.

El estado de la pintura, las bancas, las canchas, lo alto de las plantas son algunas cosas en las que te puedes dar cuenta de los cambios de la escuela.

Al utilizar los puntos cardinales norte, sur, este y oeste puedes localizar lugares.

Los símbolos en un croquis se utilizan para representar lugares.

El lugar donde vives es un pueblo o una ciudad y se encuentra en México.

La defensa del Castillo de Chapultepec se conmemora porque México se defendió de la invasión extranjera.

Autoevaluación

Es momento de reflexionar sobre tus aprendizajes.
Marca con una ✔ lo que lograste.

Cuido mi salud...

☐ Bebiendo agua simple potable.

☐ Consumiendo verduras y frutas.

Con mi portafolio logré...

☐ Realizar mis actividades.

☐ Descrubrir nuevos conocimientos.

☐ Organizar información.

Bloque II

Exploremos la naturaleza

En este bloque realizarás actividades que te permitirán conocer más sobre el Sol, la Luna y las estrellas, así como algunas características de la naturaleza.

Materiales:

- Tabla de 30 x 20 cm
- Plastilina
- Palos
- Fichas

Al final elaborarás una maqueta que mostrará lo que aprendiste.

Qué hay en el cielo

¿Cómo son el Sol, la Luna y las estrellas?

Descúbrelo.

La abuelita de Sofía le contó una leyenda.

Hace tiempo, en lo alto del cerro Coatépec vivía una anciana, madre de 400 guerreros y de una guerrera llamada Coyolxauhqui.

Una tarde, la anciana vio una bolita de plumas de colores y la guardó entre sus ropas. Cuando se acordó de ella, ya no no la encontró pero notó que su vientre había crecido.

Angustiada porque no quería que sus hijos se enteraran de que había quedado embarazada, decidió huir, pero en su camino escuchó una voz que decía: "No temas, madre. Por tu enorme valor y bondad, yo te defenderé".

Cuando la anciana se encontró con sus hijos e hija, apareció una nube azul con forma de guerrero, hermosamente ataviado, y su xiuhcóatl en mano. Se trataba de Huitzilopochtli.

Entonces el guerrero azul derribó a Coyolxauhqui de un golpe. Al ver esto, los otros hijos huyeron.

Esta batalla la vemos en el cielo todos los días: la Luna es Coyolxauhqui y las estrellas, los hermanos que huyen ante la salida del Sol, Huitzilopochtli.

Leyenda mexica

¿Te gustó la leyenda? Coméntenla en grupo. Si conoces otra leyenda que hable sobre el Sol, la Luna o las estrellas, cuéntasela a tus compañeros.

Observa el cielo en el día y dibuja lo que observas.

¿Qué observas en el cielo en la noche? Dibújalo.

Un dato interesante

En lengua náhuatl, los antiguos mexicanos llamaban "Tonatiuh" al Sol y a la Luna "Meztli".

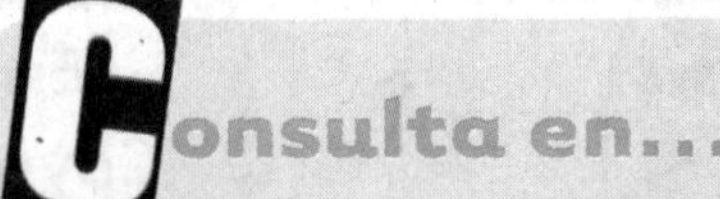

Consulta en...

Si quieres saber más sobre la Luna y las estrellas revisa el libro *El cielo a tu alcance,* de Michéle Mira Pons. Libros del Rincón de la biblioteca escolar, SEP-Paidos, 2007.

Observa las siguientes fotografías. Comenta con tu grupo las preguntas y escribe algunas conclusiones.

¿Cómo es el Sol?

¿Cómo es la Luna?

¿Cómo son las estrellas?

Recuerda que...

Ver al Sol directamente puede dañar tus ojos.

Realiza el siguiente experimento.

Consigue una lata pequeña, píntala por fuera de negro y llénala de agua hasta la mitad; también necesitas una botella de plástico con poca agua, una hoja de papel y un pedazo de mantequilla.

En el día déja los objetos al aire libre durante dos horas.
¿Qué piensas que pase con los objetos?

Por la noche continúa con el experimento.

Registra tus observaciones.

Material	Día	Noche
Lata con agua		
Botella de plástico		
Hoja de papel		
Mantequilla		

Compara y comenta tu registro con tus compañeros.

El Sol es una estrella con luz propia; su energía llega a la Tierra en forma de luz y calor. Esta energía ayuda a que la vida se desarrolle en nuestro planeta.

La Luna es un satélite natural de la Tierra; no tiene luz propia, y sólo se ve porque el Sol la ilumina.

Las estrellas son cuerpos celestes con luz propia, pero debido a lo lejos que están de la Tierra, sólo se pueden ver como pequeños puntos luminosos.

Un dato interesante

El color que vemos de una estrella depende de su temperatura; si es de color azul, es más caliente que si es roja.

Dibuja en tu cuaderno las diferentes formas en que representarías al Sol, la Luna y las estrellas.

5 Recorta el memorama de la página 153. Lee la descripción y encuentra su imagen.

El Sol y las estrellas son luminosos; la Luna sólo refleja la luz del Sol.

Montañas, llanuras, ríos, lagos y mares

¿Cómo son las montañas y las llanuras?

¿Cómo son los ríos, lagos y mares?

Descúbrelo.

Cierta mañana, muy temprano, Sofía acompañó a su tío Jacinto al campo. Debían sacar los borregos y chivos para que comieran.

Comenta lo que observas en la ilustración.

¿Cómo son las montañas? ¿Cómo es el lago? ¿Ves algún río, cómo es?

Sofía le platicó al tío Jacinto que el lugar donde vive es muy distinto, porque no hay tantos árboles, ya que es más seco y plano.

Observa las imágenes de los lugares donde viven el tío Jacinto y Sofía. ¿Qué diferencias existen? Escríbelas.

Lee las descripciones y únelas con la imagen que le corresponda. La regla es que las líneas no deben cruzarse.

Es la elevación de terreno.

Es agua salada que cubre la mayor parte de la Tierra.

Es agua que corre y puede llegar a un lago o mar.

Es el agua que está en lugares hundidos.

Es un terreno o campo plano, cuyas actividades principales son la agricultura y la ganadería.

Mar

Montaña

Llanura

Río

Lago

Esta información te ayudará a elaborar tu maqueta.

Elabora un dibujo del lugar donde vives, representa las montañas, ríos, mares, lagos o llanuras que encuentres. Pregunta si tienen nombre y escríbelo.

6 Recorta las piezas de la página 151 y arma el rompecabezas.

La montaña es una elevación de tierra y la llanura es una superficie plana. El río es de agua dulce y el mar es salado.

El agua cambia

¿Cuáles son los cambios del agua en la Naturaleza?

Conócelos.

Sofía observó en la punta de la montaña algo de color blanco: "¿Qué es eso, tío?", preguntó. "Es nieve", contestó Jacinto.

Comenta la siguiente pregunta: ¿qué le pasa a la nieve de la montaña cuando hace calor?

Recuerda que...

Beber agua simple potable te ayuda a mantenerte sano.

Realiza el siguiente experimento.Consigue algunos cubos de hielo. Colócalos en la palma de tu mano o en un lugar donde les dé el Sol. ¿Qué pasa con ellos? ¿Por qué? Coméntalo en el grupo y escribe tus conclusiones.

____

____

Ahora consigue un recipiente con tapa. Pídele a un adulto que te ayude a llenarlo de agua caliente hasta la mitad. Tengan cuidado de no derramar el agua que podría quemarlos.

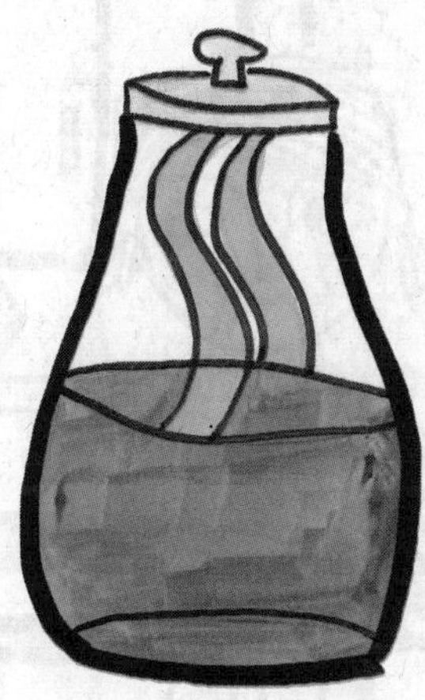

Durante un minuto, tapen el recipiente y después destápenlo. Observa y toca el interior de la tapa. ¿Qué pasó?

____

____

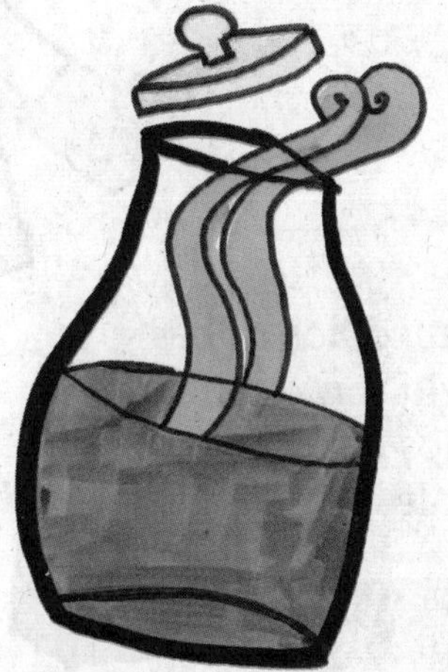

Los estados del agua en la naturaleza son: líquido (agua, por ejemplo, la lluvia), vapor (nubes) y sólido (hielo, por ejemplo, el granizo o la nieve).

Investiga y realiza otros experimentos en los que puedas ver los cambios del agua.

Encierra con diferentes colores los tres estados físicos del agua.

Relaciones en la naturaleza

¿Cuáles son las características del lugar donde viven las plantas y animales?

Averígualas.

En el campo Sofía observó de lejos unas serpientes.

Observa el lugar donde habitan las diferentes serpientes. Comenta, ¿cuáles son las diferencias de los lugares? ¿En qué se parecen?

Los lugares en México son diferentes, sus características las determinan el calor, el frío, la lluvia, las plantas y animales. Observa las imágenes y coméntalas.

Desierto

Costa

Selva

Ahora, investiga qué animales y plantas silvestres hay en el lugar donde vives. En una hoja dibújalos donde habitan.

Consulta en...

Para conocer más animales, lee el libro *Mi primer atlas de los animales,* de Anne McRae y Daniela de Luca. Libros del Rincón de la biblioteca escolar, SEP-Ediciones SM, 2002.

Investiga y escribe si los siguientes animales viven en el desierto, en la selva, en la costa o en una zona montañosa.

Gato Montés ____________

Búho ____________

Tucán ____________

Borrego cimarrón ____________

Lobo ____________

Tarántula ____________

Cangrejo ____________

Mono araña ____________

Los lugares donde viven los animales y plantas tienen características diferentes, pueden tener mucha o poca vegetación, ser áridos o húmedos, fríos o calurosos.

La información que obtuviste te servirá para tu maqueta.

¿Qué relación hay entre las plantas y animales con la naturaleza?

Obsérvalos y lo descubrirás.

Sofía descubrió muy cerca del río una tortuga, el tío muy emocionado le dijo que era su animal favorito y le contó que había gran variedad de tortugas.

Observa las características de la tortuga.

Animal: Tortuga
Vive en: Agua dulce
Cómo es: Tiene un caparazón
Se alimenta de: Plantas o frutos caídos al agua
Cómo se desplaza: Camina muy lentamente

De los animales que conozcas elige uno que viva en ríos o mares y otro en la tierra. Dibújalo, investiga y escribe sus características.

Animal: ____________
Vive en: ____________
Cómo es: ____________
Se alimenta de: ____________
Cómo se desplaza: ____________

Animal: ____________
Vive en: ____________
Cómo es: ____________
Se alimenta de: ____________
Cómo se desplaza: ____________

Comparte tu investigación con el grupo y comparen las diferencias entre los animales.

Las plantas y los animales pueden ser terrestres o acuáticos, es decir, unos pueden vivir en la tierra y otros en el agua.

Recorta de la página 149 las fotografías de los animales y plantas. Pégalas en tu cuaderno. Investiga sobre ellos, ademas escribe si son terrestres o acuáticos.

Observa las imagenes y consigue los materiales para realizar el siguiente experimento.

Coloca los tres recipientes cerca de la ventana. ¿Qué piensas que sucederá en cada uno? En tu cuaderno registra lo que observas día a día. Coméntalo con tus compañeros.

Las plantas producen su propio alimento a diferencia de los animales, incluido el ser humano, que requieren alimentarse de animales o plantas. Además todos necesitan de los componentes naturales como el Sol, agua, aire y tierra para vivir.

Las plantas y animales, incluido el ser humano, necesitan de los componentes naturales para poder vivir.

Formen equipos y consigan diferentes materiales para elaborar su maqueta. Tengan presente lo que aprendieron acerca de la naturaleza, como las plantas y animales, montañas, ríos, lagos, llanuas y mares, así como del Sol, la Luna y las estrellas.

El inicio de la Revolución Mexicana

¿Quiénes participaron en la Revolución Mexicana?

Conócelos.

Al regresar a casa, Sofía vio colgada una foto, y le preguntó a su tío: "¿Quién es?". "Es mi tatarabuelo, quien participó en la Revolución Mexicana." Te voy a contar de esa época y a enseñar más fotografías.

Observa las siguientes fotografías y comenta las diferencias entre ambas. ¿Cómo visten? ¿Cuál piensas que era su trabajo?

Hace muchos años las fotografías se imprimían sobre vidrio, este es un ejemplo de como se veían

Durante la época en que México fue gobernado por Porfirio Díaz, el pueblo no elegía libremente a sus gobernantes. Había abusos y explotación contra obreros y campesinos.

Porfirio Díaz

Tienda mexicana, Morelia, Michoacán, 1908

Las familias campesinas trabajaban pero los beneficios sólo eran para los hacendados, quienes los habían despojado de sus tierras. Además estaban las tiendas de raya, donde los campesinos eran obligados a adquirir productos para su consumo.

Los campesinos estaban descontentos y querían la devolución de sus tierras, tener un trato digno, mejores condiciones de vida así como libertad para elegir a los gobernantes.

Por eso, el 20 de noviembre de 1910 se inicia la Revolución Mexicana. En ella participó el pueblo de México y surgieron personajes que apoyaron la lucha para mejorar la situación.

Francisco Villa

Lee los siguientes versos.

La tierra, sólo la tierra

Anónimo

La tierra, ¡sólo la tierra!
El indio se levantó,
por reconquistar la tierra
que el hacendado usurpó.
Zapata, el jefe suriano,
apóstol de convicción,
era la voz de la tierra,
su voz de liberación.
Ya conocen mi bandera,
muy sencillo es mi programa,
tierra, libertad y escuelas,
el campesino reclama.
Y si acaso no cumplimos,
lo que ya se prometió,
se irá de nuevo a las armas,
otra vez la rebelión.

En grupo, comenten qué expresan los versos del corrido, qué reclamaban los campesinos durante la Revolución, y por qué es importante valorar su trabajo. Anoten en su cuaderno la conclusión a la que hayan llegado.

En el salón cuando alguien abusa de otro compañero ¿cómo resuelven la situación? Dialóguenlo en el grupo.

8 Recorta las tarjetas de las páginas 145 y 147 para pasar al segundo nivel. ¡Diviértete!

Las injusticias contra los campesinos provocaron que participaran en la Revolución Mexicana, que dio inicio el 20 de noviembre de 1910.

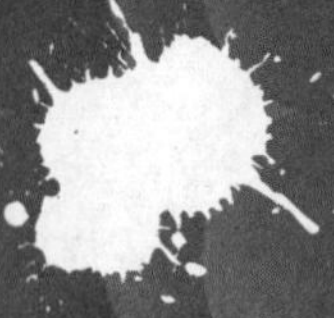

Qué aprendí

Identifica y encierra en la imagen el contenido del baúl, de acuerdo con el color que corresponda.

¿Cómo te ayudó la información del baúl a explorar la naturaleza del lugar donde vives? Coméntalo con tus compañeros

El Sol y las estrellas son luminosos; la Luna sólo refleja la luz del Sol.

La montaña es una elevación de tierra y la llanura es una superficie plana. El río es de agua dulce y el mar es salado.

El granizo, las nubes y la lluvia son algunos cambios del agua en la naturaleza.

Los lugares donde viven los animales y plantas tienen características diferentes, pueden tener mucha o poca vegetación, ser áridos o húmedos, fríos o calurosos.

Las plantas y animales, incluido el ser humano, necesitan de los componentes naturales para poder vivir.

Las injusticias contra los campesinos provocaron que participaran en la Revolución Mexicana, que dio inicio el 20 de noviembre de 1910.

Autoevaluación

Es momento de reflexionar sobre tus aprendizajes.
Marca con una ✔ lo que lograste.

Cumplo con mis responsabilidades...

- [ ] Con orden y a tiempo.
- [ ] Colaborando con todos.
- [ ] Aprovechando y cuidando los materiales.

Con mi maqueta logré...

- [ ] Investigar.
- [ ] Explicar cómo es la naturaleza que nos rodea.
- [ ] Opinar.

Bloque III

Mi comunidad

Con las actividades de este bloque aprenderás acerca de tu comunidad, además de sus costumbres y tradiciones.

Al final elaborarás un periódico mural en el que presentes cómo es tu comunidad.

Materiales:

Hojas de color
Colores
Tijeras
Pegamento
Marcadores
Revistas
Fotografías

El campo y la ciudad

¿Qué características del campo y la ciudad hay en el lugar donde vives?

Investígalo.

Paola le platicó a David que durante sus vacaciones visitó Guadalajara, y se dio cuenta de que era muy diferente a su comunidad.

Observa las imágenes y contesta en tu cuaderno las preguntas.

Campo

Ciudad

¿Cómo son las casas de la ciudad? ¿Cómo se visten las personas del campo? ¿Dónde se ven más personas? ¿Cuál es el tipo de transporte más usado en la ciudad? ¿Qué trabajos se realizan en el campo?

El campo y la ciudad tienen características diferentes. En el campo algunas actividades son cría de animales, cultivo de diferentes productos, minería y actividad maderera. Es importante el trabajo del campo porque ahí se cultivan los alimentos que todos consumimos. También se caracteriza por tener pocos medios de transporte, hospitales, escuelas y porque la mayoría de sus viviendas son de madera y barro, además hay mucho espacio entre una casa y otra.

La ciudad tiene una gran población, así como servicios de transporte, hospitales y escuelas, viviendas, edificios, grandes construcciones y hay pocas plantas y animales; gran parte de los alimentos que se consumen son traídos del campo, además, el agua se trae desde largas distancias y se generan grandes cantidades de desechos.

Contesta, ¿qué características del campo y de la ciudad hay en el lugar donde vives?

____

Recorta las imágenes de la página 143 y pega en los siguientes croquis lo que haga falta para construir una escena del campo y una de la ciudad.

Campo

Un dato interesante

La ciudad es donde hay mayor número de fumadores. La gente comienza a fumar a partir de los 12 años.

El tipo de casas, transportes, vegetación y animales son algunas características del campo y de la ciudad que puedes encontrar en el lugar donde vives.

Ciudad
FABRITEXT
Hotel
Comunicaciones

El pasado de mi comunidad

¿Qué cambios ha tenido tu comunidad?

Identifícalos.

Un día Paola escuchó que su comunidad ha cambiado, y le preguntó a su abuelo José cómo era antes. Él le contestó: "Recuerdo que cuando llegamos a este lugar, había muchos árboles y poquitas casas."

Observa y comenta.

¿Qué diferencias observas?, ¿qué cambios hubo con el tiempo?

Consulta en...

Para conocer una comunidad revisa el libro *Alfonso Caso: explorador de Monte Albán* de Manuel Rius de los Libros del Rincón de la biblioteca escolar, SEP-SM Ediciones, 2004

Recorta las imágenes que están en la página 143 y pégalas en el cuadro que corresponda.

Antes | *Después*

Pregúntales a tus papás, abuelos y personas mayores que conozcas, los siguientes datos.

¿Cómo se llama tu comunidad?

___

¿Cuál es el origen de su nombre o qué significa?

___

Compara y comenta tus respuestas con las de otros compañeros.

Pídeles a tus abuelos o papás una fotografía de tu comunidad. Todos en el salón reúnanlas y ordénalas para formar una línea del tiempo.

Algunos cambios de la comunidad se observan en la vestimenta, la cantidad de habitantes y los tipos de transporte.

Costumbres y tradiciones

¿Cómo han cambiado las festividades de tu comunidad?

Investígalo.

La tía de Paola se llama Dorotea y vive en Pátzcuaro, Michoacán. Una de las tradiciones en ese lugar, es ir a los panteones a visitar a los familiares que han fallecido, adornar sus tumbas con flores, colocar comida en ellas y pasar la noche allí durante el día de muertos.

Contesta:

¿Cuáles son algunos de los festejos tradicionales que se realizan en el lugar donde vives?

____

En tu familia, ¿cómo acostumbran festejarlos?

____

Con la ayuda de tu maestro, elabora un calendario y marca las costumbres y tradiciones del lugar donde vives.

Consulta en...

Revisa el libro *Itacate de palabras mexicanas* de Juan Palomar de Miguel. Libros del Rincón de la biblioteca escolar, SEP-Planeta, 2004.

Selecciona una de las festividades de tu comunidad. Pregúntales a tus abuelos o papás cómo acostumbraban festejarla cuando ellos eran niños. Con la información que obtengas, elabora una reseña y léela en el grupo.

Dibuja cómo se festeja una tradición o costumbre de tu comunidad.

Festival Internacional Cervantino

Investiga las tradiciones que se festejan en otras comunidades y compáralas con las de tu comunidad. Después completa el siguiente cuadro.

	Mi comunidad	Otra comunidad
Nombre del festejo		
Música con la que se acompaña		
Vestimenta tradicional		
Lengua que se habla en el lugar		

Las fiestas y tradiciones de una comunidad no siempre son iguales a las de otras, pues cada comunidad tiene características propias. Por eso, en nuestro país tenemos una gran variedad de tradiciones que enriquecen nuestra cultura.

Las costumbres y tradiciones se celebran de diferente manera, y su festejo cambia con el tiempo.

La migración en mi comunidad

¿Por qué se desplazan las personas de una comunidad a otra?

Averígualo.

Un familiar de Paola es médico. Se llama Andrés, y vive en Saltillo, Coahuila. Le contó que cuando él era pequeño, no había médicos ni hospitales en su comunidad. Además, la escuela estaba muy lejos, y por eso decidió irse a la ciudad.

Las personas se cambian del lugar donde viven en busca de mejores condiciones de vida para su familia o por fenómenos naturales como: inundaciones, deslizamientos de laderas o por erupciones volcánicas; por lo que tienen que vivir en otros lugares, ciudades o países que no son donde nacieron; a este movimiento se le llama migración.

Realiza las siguientes preguntas a un adulto.

Nombre: ______________________ Edad: __________

Lugar donde vive: ______________________

¿Es originario del lugar donde vive? ______________________

¿Cuánto tiempo lleva viviendo ahí? ______________________

¿Alguna vez se cambió de comunidad o ciudad? ______________________

¿Por qué algunas personas se van a vivir a otros lugares? ______________________

____

¿En el lugar donde vive encuentra lo que necesita? ______________________

En grupo comparen las respuestas que hayan obtenido y coméntenlas.

¿Por qué piensas que las personas se cambian de un lugar a otro?

____

____

____

Inviten al salón a una persona que recién haya llegado a su comunidad para que les platique su experiencia.

Las personas migran para encontrar mejores condiciones de vida.

La Bandera Nacional

¿Cuál es el origen y significado del Escudo Nacional y de los colores de la Bandera?

Búscalo y lo sabrás.

Al investigar sobre el origen de la Bandera Nacional, Paola encontró lo siguiente: los colores de la Bandera tienen su origen en la Bandera Trigarante, con la que se declaró la independencia mexicana de España en 1821. En ese entonces se le dio el siguiente significado: el verde simbolizaba la independencia, el blanco la pureza y el rojo la unión de los mexicanos.

El Escudo Nacional Mexicano se inspira en una leyenda prehispánica, según la cual Huitzilopochtli, el más importante de los dioses mexicas, les dijo que encontrarían el lugar adecuado para fundar Tenochtitlan cuando hallaran un águila parada sobre un nopal devorando una serpiente.

Agustín de Iturbide

¿Por qué es importante apreciar nuestra bandera?
¿Cómo te identificas con la bandera?

La Bandera Nacional simboliza nuestro origen, sentimientos e identidad como mexicanos; por eso es importante respetarla.

En un calendario localiza el día de la Bandera y dibújala sobre el día del festejo.

El significado de la Bandera y el Escudo nacionales hacen referencia a sucesos históricos. Y el día en que conmemoramos nuestro lábaro patrio es el 24 de febrero.

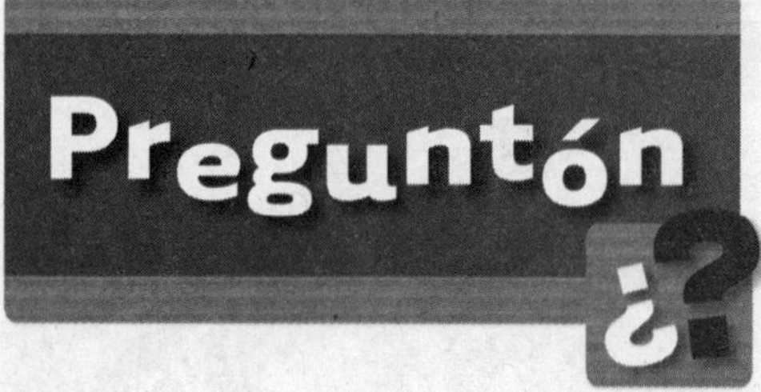

11 Recorta las tarjetas de las páginas 139, 141 y 143 para jugar el tercer nivel.

Reúne la información del baúl y tus trabajos, formen equipos y con la ayuda del maestro elaboren su periódico mural y presenten cómo es su comunidad.

Qué aprendí

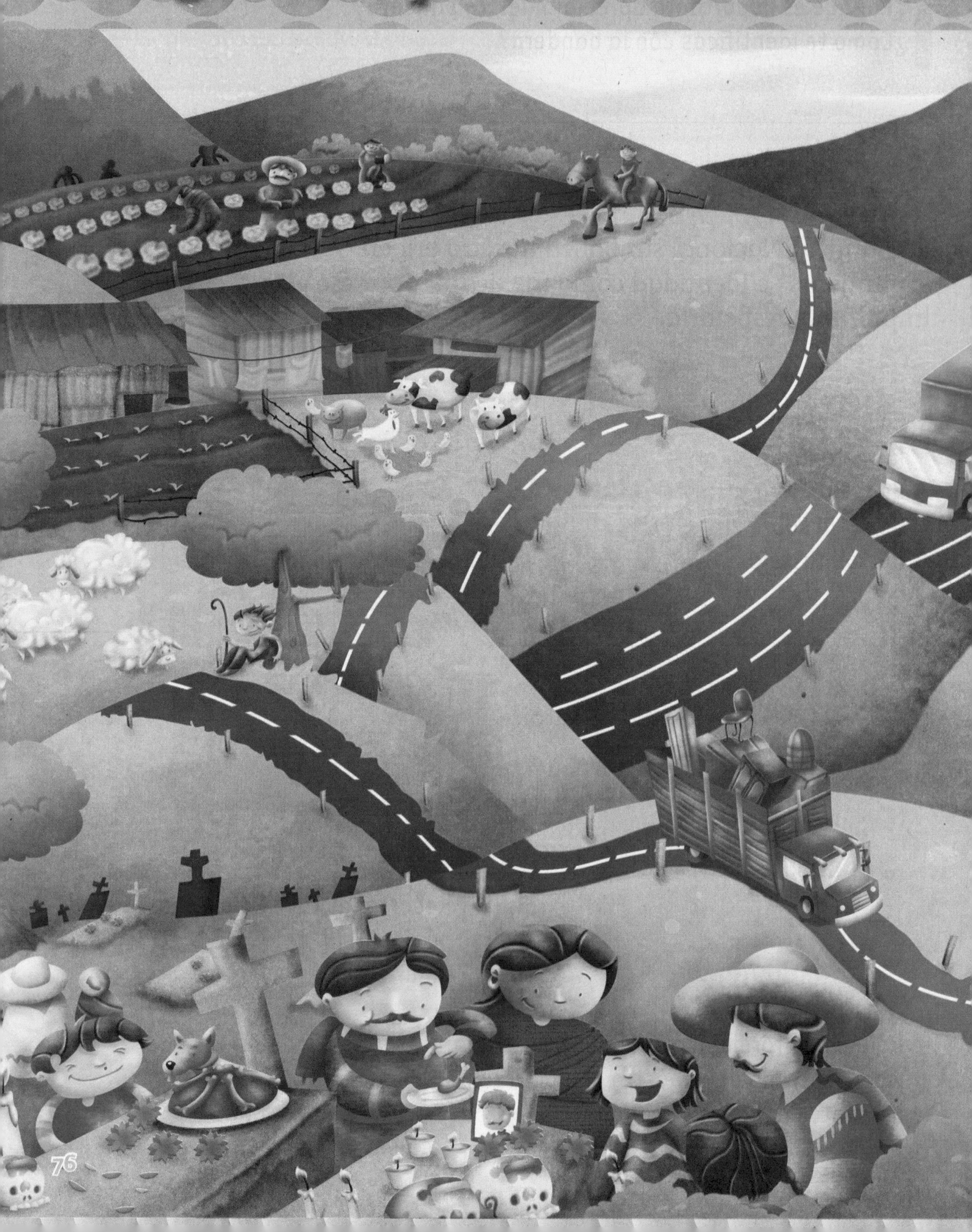

Identifica y encierra en la imagen el contenido del baúl, de acuerdo con el color que corresponda.

Con ayuda de la información del baúl ¿Qué conociste de tu comunidad? Coméntalo con tus compañeros

El tipo de casas, transportes, vegetación y animales son algunas características del campo y de la ciudad que puedes encontrar en el lugar donde vives.

Algunos cambios de la comunidad se observan en la vestimenta, la cantidad de habitantes y los tipos de transporte.

Las costumbres y tradiciones se celebran de diferente manera, y su festejo cambia con el tiempo.

Las personas migran para encontrar mejores condiciones de vida.

El significado de la Bandera y el Escudo nacionales hacen referencia a sucesos históricos. Y el día en que conmemoramos nuestro lábaro patrio es el 24 de febrero.

Autoevaluación

Es momento de reflexionar sobre tus aprendizajes.
Marca con una ✔ lo que lograste.

Me gusta trabajar con...

- [ ] Otras compañeras y compañeros que se parecen a mí en su forma de vestir y de peinarse.
- [ ] Otras compañeras y compañeros que son distintos de mí.

Para realizar mi periódico mural pude...

- [ ] Reunir la información.
- [ ] Organizarla.
- [ ] Mostrar cómo es mi comunidad.

Los trabajos y servicios de mi comunidad

En este bloque conocerás acerca de los recursos naturales, los transportes, el comercio, los productos y los servicios públicos de tu comunidad, con ello elaborarás un mapa mental, para hacerlo puedes seguir el siguiente esquema.

Materiales:

Cartulinas
Marcadores
Regla
Pegamento

Los trabajos y servicios de mi comunidad

Los recursos naturales

¿Cuáles son los recursos naturales? ¿Qué importancia tienen en nuestra vida?

Identifícalos.

En clase, Leonor le comentó a Pati que viajó con sus padres a Campeche y en el camino vio ríos, y muchas plantas y animales. Su papá le platicó con qué se hacen algunos productos.

Con los recursos naturales se pueden elaborar diversos productos. Por ejemplo, con el petróleo se produce la gasolina.

Une cada objeto con el recurso con el que está hecho o con el lugar de donde proviene.

Contesta en tu cuaderno.
¿Qué recursos naturales hay en el lugar donde vives?
¿Qué pasaría si no tuvieramos recursos naturales?

Observa las dos imágenes.

¿Por qué son importantes los recursos naturales? ¿Qué puedes hacer para cuidarlos?

En una hoja dibuja un recurso natural y escribe en tu cuaderno qué importancia tiene para las actividades cotidianas.

Guarda tu dibujo para el mapa mental.

El agua, plantas, animales, petróleo y minerales son recursos naturales y contribuyen a mejorar nuestra vida.

Productos del campo y de las industrias

¿De dónde se obtienen los productos que utilizas?

Sigue el proceso y lo sabrás.

En Campeche, Leonor y su mamá se compraron, una blusa de algodón bordada.

Observa el proceso para elaborar una blusa de algodón y encierra los recursos naturales que se utilizan.

Antes

Campo de algodón

Organízate con tu grupo: escriban en el pizarrón algunos objetos que haya en el salón e identifiquen qué recursos naturales se utilizaron para elaborarlos.

Comparen sus respuestas.

Durante

Fábrica textil

Después

Taller de costura

¿Sabes cómo se elabora una silla de madera, un jugo de naranja o los costales de henequén? Elige uno de estos objetos o alguno de tu comunidad y dibuja el proceso para elaborarlo.

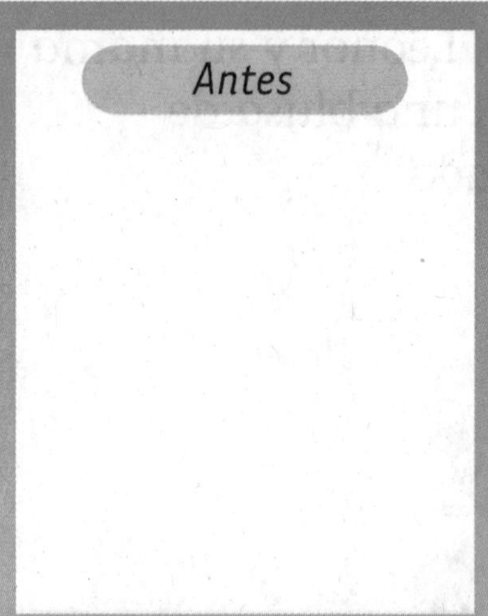

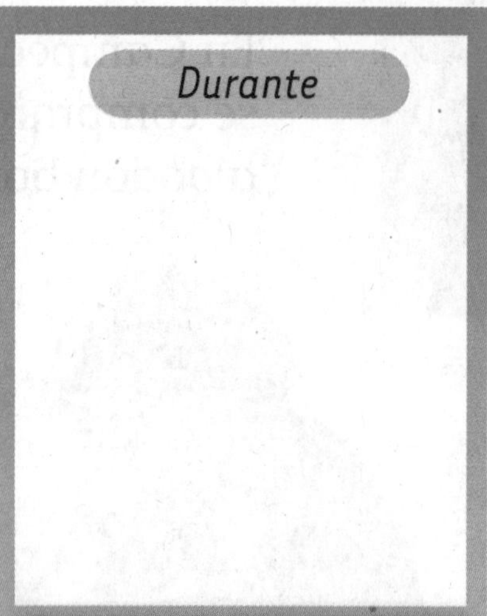

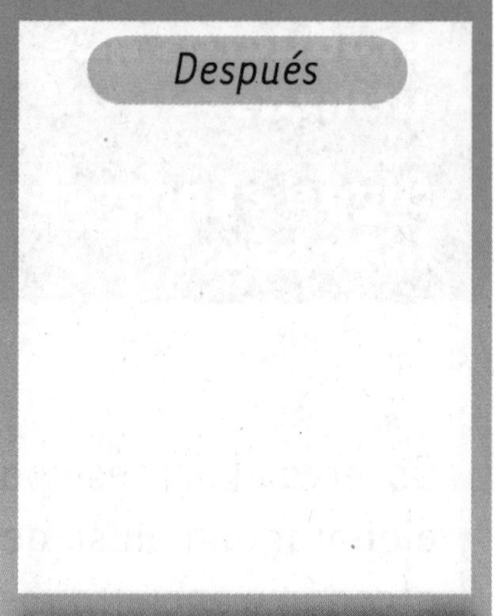

Compara tus dibujos con los de tus compañeros. Si te faltó algún paso, dibújalo.

Observa el proceso que se sigue para elaborar tortillas.

Consulta en...

Si quieres conocer el proceso de elaboración del azúcar, revisa el libro *El azúcar paso a paso* de Claude Combet. Thierry Lefévre. Libros del Rincón de la biblioteca escolar.

Dibuja el proceso de elaboración de un producto con los siguientes pasos.

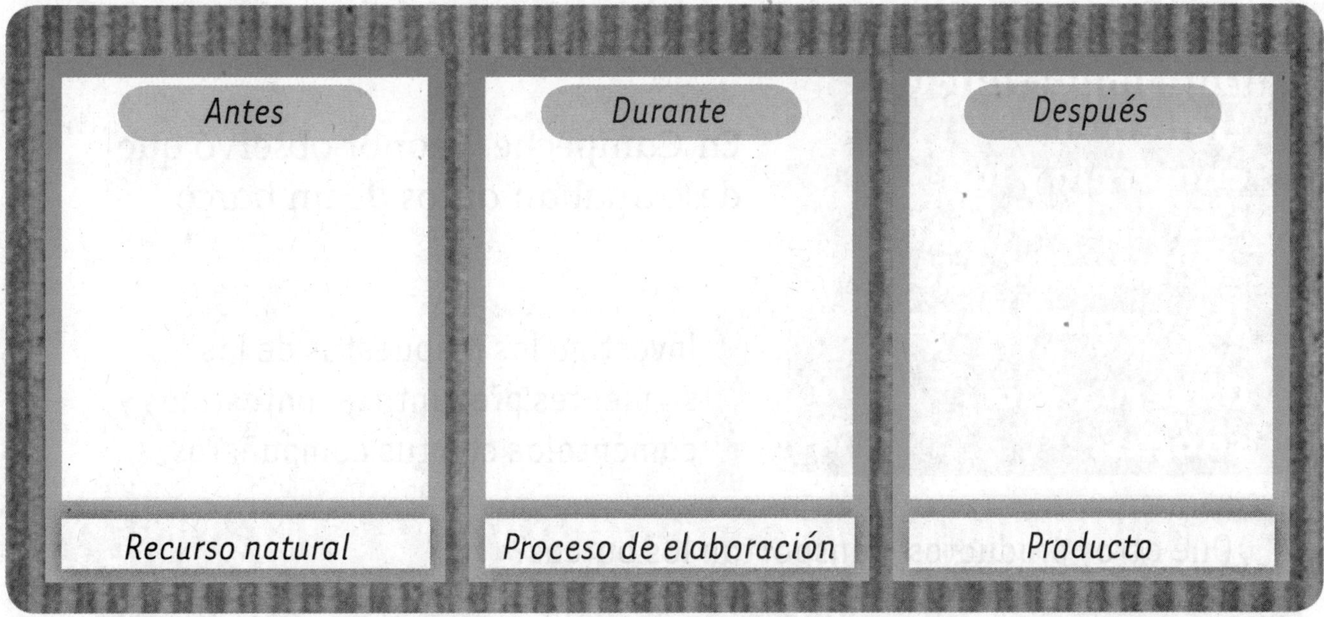

Hay recursos naturales que pueden consumirse tal como los obtienen los trabajadores del campo, como las verduras y frutas. Pero hay otros que son transformados por personas en fábricas e industrias.

Investiga dónde se elaboran los siguientes productos, ¿en el campo o en la industria? Compara tus respuestas con las de tus compañeros.

En equipo realicen el dibujo de un producto y escriban si proviene de la industria o del campo. Servirá para el mapa mental.

Los productos se elaboran en el campo o en la industria.

El comercio y los transportes

¿Qué importancia tienen el comercio y los transportes para el desarrollo de las comunidades?

Observa y lo sabrás.

En Campeche, Leonor observó que descargaban autos de un barco.

Investiga las respuestas de las siguientes preguntas, contéstalas y coméntalas con tus compañeros.

¿Qué otros productos transportan los barcos?

¿Qué puede transportar un tren, un avión, un caballo y una bicicleta?

Los transportes necesitan del trabajo de las personas para poder funcionar, los clasificamos en terrestres, aéreos y marítimos.

¿Qué otros medios de transporte conoces? Dibújalos.

Marca con una ✔ dónde se realizan las compras y ventas de los productos de tu comunidad.

Un dato interesante

La palabra tianguis proviene de *tianquiztli*, que en náhuatl significa mercado.
Los nahuas colocaban tianguis cada cinco días. Entre los más importantes estaban los establecidos en Tlatelolco, Texcoco, Tlaxcala, Xochimilco y Huejotzingo.

Investiguen y comenten en grupo de qué lugar vienen los productos que venden en su comunidad, y qué productos de su comunidad se llevan a otros lugares para venderse.

Dibuja algunos de estos productos.

El comercio es una actividad en la que se intercambian productos y servicios. Para hacer que éstos lleguen de un lugar a otro se utiliza el transporte.

En una hoja, dibuja los transportes que hay en tu comunidad y los productos que trasladan, guárdala para tu mapa mental.

Los transportes y el comercio son importantes porque proveen productos y servicios a la comunidad.

Los servicios públicos

¿Qué beneficios te brindan los servicios públicos?

Úsalos responsablemente y lo sabrás.

Leonor se quedó con sus primas ocho días. Allá el camión de basura pasa tres veces por semana.

¿Qué observas en la imagen?

El pavimento de las calles, la recolección de basura y el alumbrado público son servicios públicos muy importantes.

Seguramente, en el lugar donde vives existen diferentes servicios públicos. Coméntalos en grupo y en el siguiente recuadro registren los que existen y los que hacen falta.

Servicios públicos que existen	Servicios públicos que faltan

Comenta con tus compañeros qué pasaría si en tu comunidad no hubiera servicios públicos.

De igual manera, es importante cuidar los servicios con los que contamos. ¿Qué acciones contribuyen al cuidado de los siguientes servicios? Escríbelo en una hoja.

Ilustra los beneficios que aportan los servicios públicos a tu comunidad. Guárdalo para tu mapa mental.

Un beneficio de los servicios públicos es mejorar la condición de vida de las personas.

¿Cuáles son los usos de la electricidad?

Identifícalos.

El papá de Leonor preparó un licuado de plátano para el desayuno.

¿Conoces otra manera de hacer un licuado? Coméntalo en grupo.

De las siguientes imágenes comenta cómo el uso de la electricidad ayudaría a estas personas a realizar sus actividades.

Comenta ¿Cuáles son las ventajas y desventajas de utilizar aparatos eléctricos?

De las siguientes imágenes comenta cómo puedes evitar accidentes al usar los aparatos.

Recuerda que...

Para prevenir accidentes, heridas o quemaduras evita tocar instalaciones y aparatos eléctricos; es mejor preguntar antes cómo usarlos correctamente.

El funcionamiento de aparatos eléctricos y facilitar actividades diarias son algunos usos de la electricidad.

¿Cómo la ciencia y la tecnología han ayudado a mejorar los servicios públicos?

Investiga y lo sabrás.

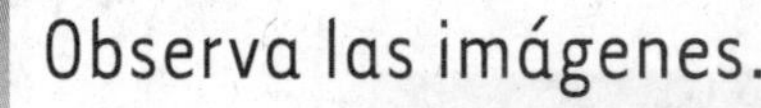

Observa las imágenes.

Comenta en grupo, ¿cómo han cambiado los servicios públicos con la ayuda de la ciencia y la tecnología?

Investiga y escribe un beneficio y un daño causado a las personas o a la naturaleza, por el uso de la ciencia y la tecnología en los servicios públicos. Guárdalo para tu mapa mental.

Con la ciencia y la tecnología es más fácil tener los servicios públicos y mayores beneficios.

Los trabajos de hoy y ayer

¿Cómo han cambiado los trabajos en tu comunidad?

Investiga y lo sabrás.

En el mercado municipal de Campeche, Leonor y sus primas vieron a un señor tejiendo un morral de henequén, que es un oficio muy antiguo.

Observa en las imágenes cómo han cambiado los trabajos a lo largo del tiempo. Coméntalo con tus compañeros.

¿Qué herramientas usaban antes?
¿Qué herramientas usan ahora?

¿Cómo han cambiado los trabajos en tu comunidad a lo largo del tiempo? Dibújalo.

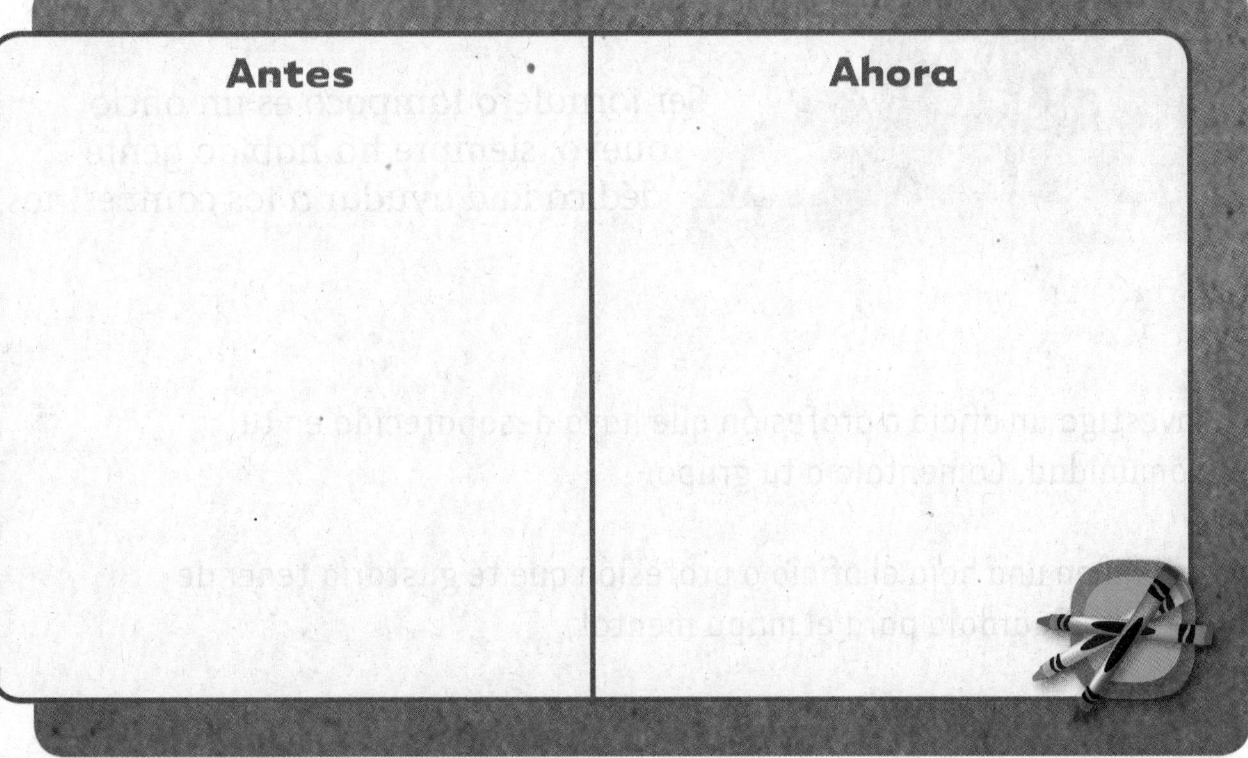

Recorta el memorama de las páginas 137 y 139, y juega a descubrir las herramientas que utilizan las personas para realizar su trabajo.

Comenta qué herramientas utiliza la gente para trabajar en tu comunidad.

Hace tiempo, productos como los cubiertos, los libros y los autos, sólo se fabricaban a mano.

Uno de los oficios más antiguos del ser humano es la herrería, que siempre se ha realizado en lugares llamados "fraguas", en los que se elaboran utensilios de fierro. Cuando a las señoras se les rompía una olla, esperaban a los "soldadores de loza" (así se conocía a los herreros) para que la repararan.

Otro oficio muy antiguo es arrear animales de carga, como mulas y caballos, para transportar productos de un lugar a otro.

Ser jornalero tampoco es un oficio nuevo; siempre ha habido gente dedicada a ayudar a los campesinos.

Investiga un oficio o profesión que haya desaparecido en tu comunidad. Coméntalo a tu grupo.

Dibuja en una hoja el oficio o profesión que te gustaría tener de grande. Guárdala para el mapa mental.

El trabajo productivo de las personas del campo, la industria, los transportes, los servicios y el comercio es importante para el bienestar de todos.

Los trabajos han cambiado en la manera en cómo se realizan y en las herramientas que se utilizan.

La Expropiación Petrolera

¿Qué conmemoramos los mexicanos el 18 de marzo?

La historia te lo dirá.

En Campeche, vio estructuras: "Mira, Leonor, ésas son plataformas de Pemex, donde se extrae el petróleo", dijo su tío Ignacio.

Hace muchos años, las empresas que extraían el petróleo dentro del territorio mexicano eran extranjeras. Sin embargo, el 18 de marzo de 1938, el presidente Lázaro Cárdenas les quitó el permiso para seguir haciéndolo. La población contribuyó con bienes materiales, para que el gobierno mexicano pudiera pagar por las pérdidas ocasionadas a las empresas europeas y estadunidenses, que extraían este recurso natural.

¿Tú qué hubieras dado para ayudar a tu país? Coméntalo.

Reúne la información del baúl y tus trabajos para hacer el mapa mental de los trabajos y servicios de tu comunidad.

Recorta las tarjetas de las páginas 133 y 135. Con ellas jugarás el cuarto nivel.

Qué aprendí

Identifica y encierra en la imagen el contenido del baúl, de acuerdo con el color que corresponda.

¿Cómo te ayudó la información del baúl para identificar los trabajos y servicios de tu comunidad? Coméntalo con tus compañeros

El agua, plantas, animales, petróleo y minerales son recursos naturales y contribuyen a mejorar nuestra vida.

Los productos se elaboran en el campo o en la industria.

Los transportes y el comercio son importantes porque proveen productos y servicios a la comunidad.

Un beneficio de los servicios públicos es mejorar la condición de vida de las personas.

El funcionamiento de aparatos eléctricos y facilitar actividades diarias son algunos usos de la electricidad

Con la ciencia y la tecnología es más fácil tener los servicios públicos y mayores beneficios.

Los trabajos han cambiado en la manera en cómo se realizan y en las herramientas que se utilizan.

El 18 de marzo se conmemora la Expropiación Petrolera.

Autoevaluación

Es momento de reflexionar sobre tus aprendizajes.
Marca con una ✔ lo que lograste.

Mi actitud para preservar los recursos naturales es...

- [ ] Responsable.
- [ ] Poco cuidadosa.

Con mi mapa mental...

- [ ] Investigué.
- [ ] Organicé la información.
- [ ] Expliqué los trabajos y servicios de mi comunidad.

Bloque V

Juntos mejoramos nuestra vida

Has llegado al último bloque, en donde aprenderás cómo prevenir accidentes, desastres y cuidar el ambiente. Tendrás la oportunidad de realizar un proyecto llamado "Mejoremos nuestra comunidad" donde aplicarás lo que aprendiste en el ciclo escolar.

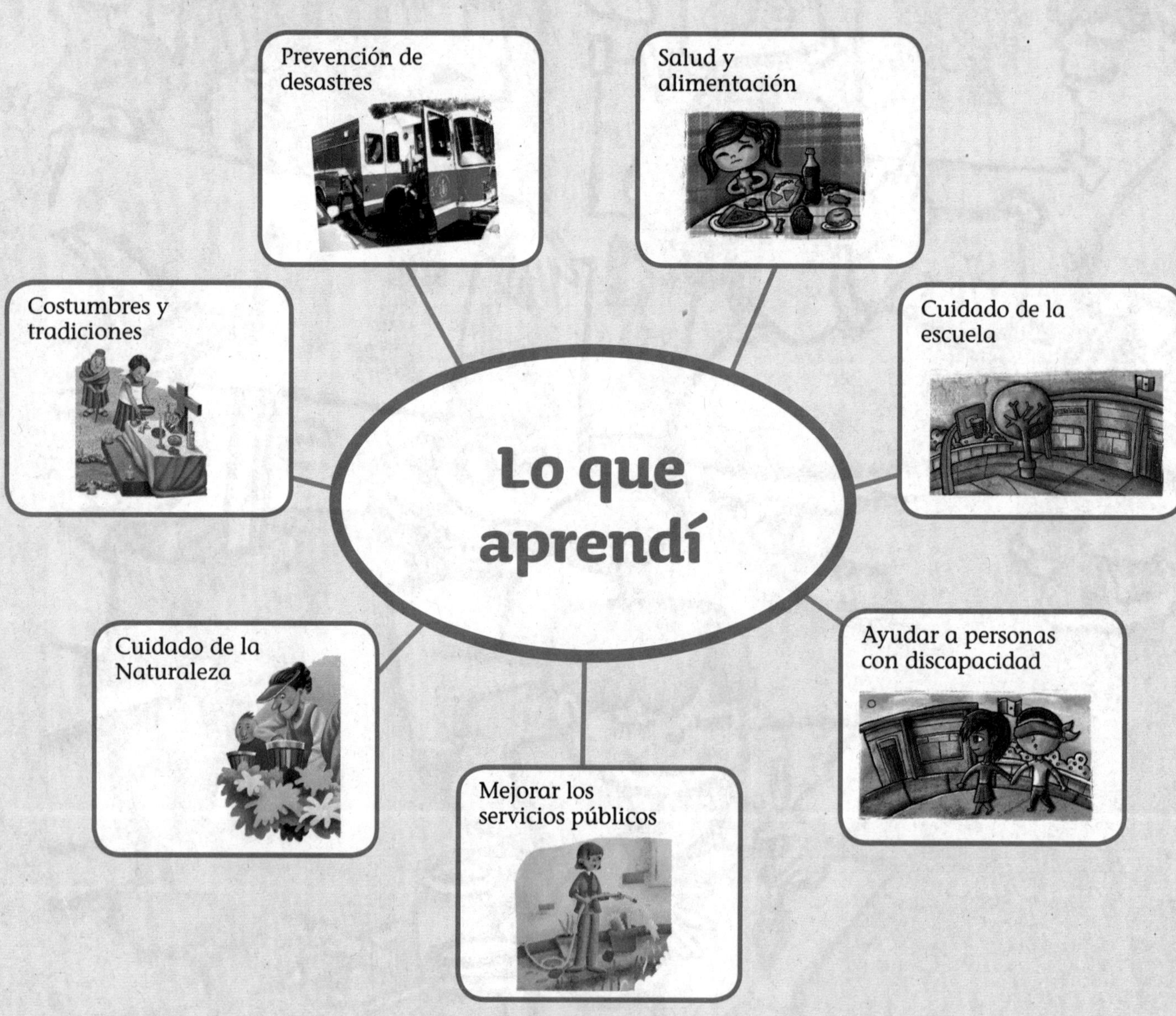

Prevención de quemaduras

¿Cómo identificas la temperatura de los objetos? ¿Cómo te cuidas para prevenir accidentes?

Observa para no quemarte.

Mónica se baña por las noches. Cuando llegó al baño y tocó el agua dijo: "Mamá está muy caliente."

¿Cómo puedes darte cuenta que el agua está caliente sin tocarla? ¿Qué pasaría si Mónica se bañara con el agua hirviendo? Coméntalo.

¿Con qué debe tener cuidado Mónica al bañarse? ¿Por qué? ¿Qué le podría pasar si no tuviera cuidado? ¿Qué tiene que hacer para prevenir un accidente? Coméntalo con tu grupo.

Es importante ser cuidadoso al utilizar objetos calientes, ya que pueden quemarte.

Platica con tus compañeros si han tenido algún accidente con éstos.

Realiza el siguiente experimento.

1. Mete tus manos en agua con hielos.
2. Sácalas y toca tu rostro. ¿Cómo se sienten?
3. Ahora frótalas.
4. Deja de frotarlas, y ponlas de inmediato en tu rostro nuevamente.

Registra tu experiencia en una tabla como la siguiente.

Experiencia	¿Qué le pasó a tus manos?	¿Qué sentiste al tocar tu cara?	¿Qué sentido ocupaste?
Manos en agua con hielos			
Manos frotadas			

Comenta tus respuestas con tus compañeros.

En equipos, reúnan los materiales:

Materiales:

Botella de plástico
Cuchara de metal
Cuchara de madera.

Coloquen los tres objetos bajo el rayo del Sol durante dos horas.

Después de ese tiempo, con cuidado toquen los objetos y escriban cómo está su temperatura: fría, tibia, caliente o muy caliente.

Recuerda que...

Donde estés, si te cuidas, puedes hacer bien todas tus actividades, como ir a la escuela, salir de paseo y ayudar en casa.

Contesta:
¿Por qué se calentaron los objetos?
¿Qué objeto se calentó más?
¿Por qué piensan que se calentó uno más que otro?

Algunos materiales como el metal pueden calentarse más rápido que otros. La madera o la baquelita que se encuentra en los mangos de los sartenes aíslan el calor.

Observen las siguientes imágenes y luego coméntenlas en grupo.

¿Qué les recomendarías a los niños de cada imagen? ¿Cómo puedes prevenir los accidentes que representan? Comenta con tus compañeros las consecuencias de no prevenirlos.

Escribe en tu cuaderno recomendaciones para prevenir un accidente con objetos o líquidos calientes.

Al utilizar los sentidos, identificas la temperatura de los objetos y evitas accidentes.

Prevención de desastres

¿Cómo participas en la prevención de desastres?

No corras, grites ni empujes y participarás.

Mónica le platicó a su mamá que en la escuela se hizo un simulacro.

La maestra les explicó que existen peligros que ponen en riesgo nuestra vida, los bienes materiales y el ambiente. Por eso es necesario saber qué hacer para prevenir los desastres, y cómo apoyar a las personas que lo necesiten.

Observa y comenta las siguientes fotografías.

Los desastres pueden ser provocados por fenómenos naturales como la lluvia, o por causas humanas, como una fogata mal apagada.

Contesta:
En el lugar donde vives, ¿qué situaciones pueden provocar un desastre?
¿Qué acciones se realizan para prevenir estos desastres?
¿Sabes qué hacer cuando sucede un desastre?

Observa las siguientes imágenes y escribe qué representan.

Recuerda que...

Durante un sismo:

1. Conserva la calma.
2. Dirígete a lugares seguros.
3. Hazte bolita.

Investiga las acciones que se deben hacer en caso de incendio, sismo o inundación y escríbelas en tu cuaderno.

Un simulacro es un ejercicio que sirve para prevenir y saber qué hacer ante un evento que pueda poner en peligro la vida.

En grupo realicen un simulacro de incendio o sismo, y comenten por qué es importante llevarlos a cabo periódicamente.

Observa las señales de seguridad. Busca alguna otra y dibújala en el siguiente cuadro.

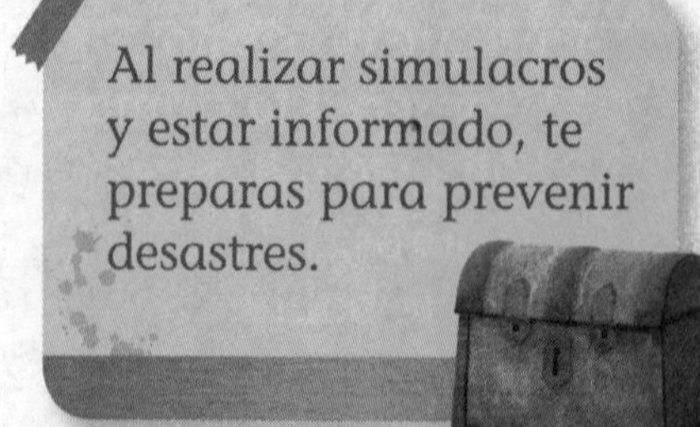

Al realizar simulacros y estar informado, te preparas para prevenir desastres.

Cuidado ambiental

¿Qué haces para cuidar el ambiente?

Participa en las actividades y lo sabrás.

Mónica observó en su escuela que después del recreo el patio quedaba muy sucio.

¿El patio de tu escuela queda igual?
¿Qué pueden hacer para evitarlo?
Coméntalo con tus compañeros.

Recorta las tarjetas de las páginas 129 y 131, obsérvalas y juega.

Elijan a un compañero para que sea el juez.

Formen tres equipos:

- Equipo 1: jurado.
- Equipo 2: tendrá las tarjetas rojas.
- Equipo 3: tendrá las tarjetas verdes.

1. *El juez le dará la palabra a cada equipo.*
2. *Los dos equipos deberán defender las acciones que muestran las tarjetas, aunque no estén de acuerdo.*
3. *El jurado dirá quién tiene la razón y por qué.*
4. *Al terminar el juego, comenten cómo se sintió cada uno en el papel que le tocó representar.*

Hagan una campaña en favor del cuidado ambiental de su comunidad. Escriban y dibujen sus propuestas para realizar alguna de las siguientes acciones:

- Aprovechar responsablemente el agua
- Mantener los espacios limpios
- Ahorrar la energía eléctrica
- Proteger las áreas naturales
- Clasificar la basura en orgánica e inorgánica
- Proponer medidas para no producir tanta basura

Recuerda que...

Cuidar el ambiente y los recursos nos beneficia a todos.

Consulta en...

Para conocer más sobre el lugar donde vives, revisa el libro *Nuestra Tierra* de John Thomas Matthews. Libros del Rincón de la biblioteca escolar, SEP-MacMillan 2006

15 Recorta el tablero de la página 127.

1. Para jugar se requieren un dado y algunas fichas. Decidan quién tirará el dado primero.

2. Cada jugador lanzará el dado y avanzará el número de casillas que éste indique. Si le toca llegar a una casilla donde se inicia una escalera, tendrá la suerte de subir por ella; pero si le toca serpiente, tendrá que bajar hacia la cabeza.

3. Ganará el primero que llegue a la meta.

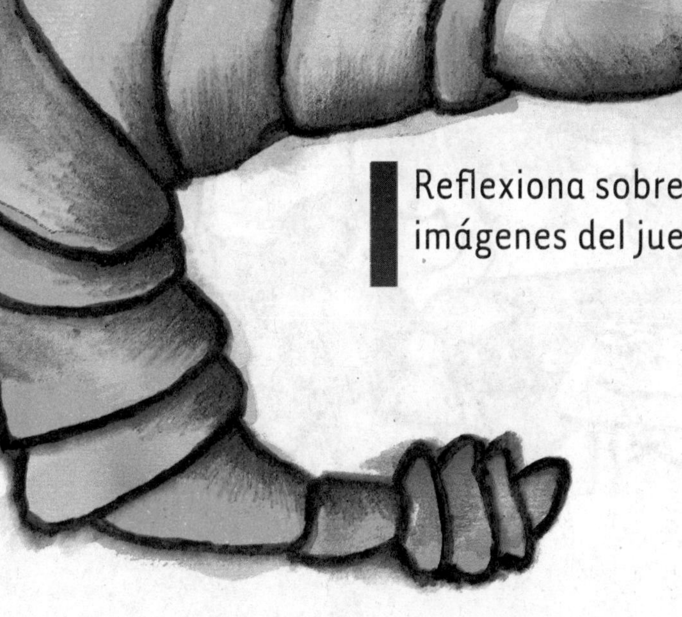

Reflexiona sobre las acciones que te muestran las imágenes del juego, y coméntalas.

Usar adecuadamente el agua, mantener los lugares limpios y no quemar basura, son algunas acciones para cuidar el ambiente.

Proyecto: Mejoremos nuestra comunidad

Es momento de poner en práctica lo que aprendiste, para ello realizarás un proyecto para ayudar a que tu comunidad mejore.

Formen equipos y seleccionen alguna problemática relacionada con los siguientes temas u otra que haya en su comunidad.

1. Salud y alimentación.
2. Cuidado de la escuela.
3. Ayudar a personas con discapacidad.
4. Mejorar los servicios públicos.
5. Cuidado de la naturaleza.
6. Costumbres y tradiciones.
7. Prevención de desastres.

Pueden seguir el siguiente plan para elaborar su proyecto:

Plan de acción

Seleccionen el tema:	
Identifiquen el problema:	
¿Qué quieren mejorar?	
¿Qué harán para lograrlo?	
¿Qué recursos usarán (pueden hacer una campaña, trípticos, carteles, pláticas u otro que seleccionen)?	
¿Cuáles tareas harán los integrantes del equipo?	
¿Cuánto tiempo tienen para realizarlas?	

Cuando tengan su plan ¡Manos a la obra! Llévenlo a cabo para mejorar su comunidad.
Al final comenten en grupo, ¿qué lograron con su proyecto?
¿Cómo ayudó el trabajo de los integrantes para lograr lo que se propusieron?
De lo que aprendieron en segundo grado, ¿qué les sirvió para realizar su proyecto?
Aporten ideas para mejorarlo.

El día Internacional del Trabajo

¿Por qué celebramos el día del trabajo?

Defiende tus derechos y lo sabrás.

El hermano de Mónica le platicó que el 1° de mayo desfilará con sus compañeros de trabajo. Mónica le preguntó: "¿Por qué vas a desfilar?".

A lo largo de la historia, los trabajadores han sido tratados injustamente. En una época, los dueños de las fábricas no pagaban lo suficiente, o los hacían trabajar muchas horas, y no les pagaban atención médica. Por ello, se han producido luchas para defender los derechos de los trabajadores.

Una de las protestas más importantes sucedió el 1o. de mayo de 1886. Ese día los obreros de algunas fábricas de Chicago, Estados Unidos, advirtieron a los dueños y al gobierno que si no se respetaba la jornada de trabajo de ocho horas diarias, dejarían de trabajar.

Como no se respetó la jornada, los trabajadores pararon de trabajar.

Muchos trabajadores fueron despedidos; otros, golpeados o encarcelados e incluso algunos fueron llevados a la horca. En su honor en 1889, en el Congreso de Trabajadores en París, se estableció que cada 1o. de mayo se celebraría el Día Internacional del Trabajo, y que se recordaría a los "mártires de Chicago".

¿Actualmente han mejorado las condiciones de los trabajadores? ¿Por qué es importante celebrar el Día del Trabajo? Coméntalo.

Observa las siguientes imágenes y comenta con tu grupo qué diferencias hay entre ambos trabajadores, por ejemplo: la forma de vestir, el equipo de protección, el lugar donde trabajan, y las herramientas que utilizan.

Hay oficios o profesiones en los que se necesita un equipo especial para proteger su cuerpo de lesiones por golpes de objetos que caen, astillas, chispas, salpicaduras de metales, inhalación de vapores o polvos; tambien evita el contacto directo de la piel con objetos afilados o superficies calientes, asi mismo reduce el riesgo de cortes profundos, quemaduras y el exceso de ruido, calor o frío, entre otros.

En México, la jornada de ocho horas la establece el artículo 123 de nuestra Constitución, que también prohíbe el trabajo a menores de 14 años.

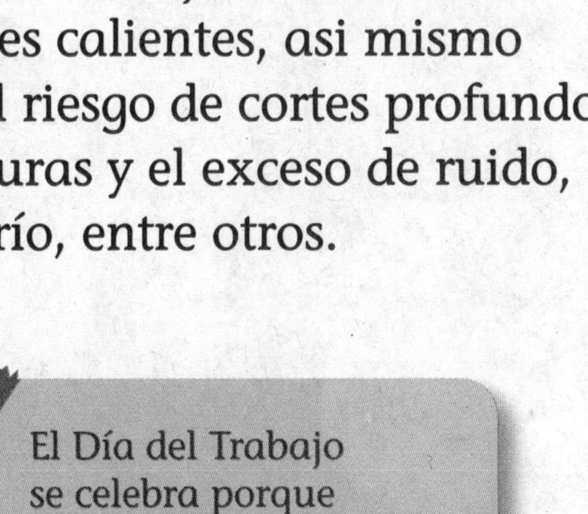

El Día del Trabajo se celebra porque recordamos la lucha de los trabajadores por mejores condiciones laborales.

16

Recorta las tarjetas de las páginas 123 y 125, pues con ellas jugarás el quinto nivel.

Qué aprendí

Identifica y encierra en la imagen el contenido del baúl, de acuerdo con el color que corresponda.

Al tener la información del baúl, ¿cómo la puedes utilizar para mejorar tu vida?

Al utilizar los sentidos, identificas la temperatura de los objetos y evitas accidentes.

Al realizar simulacros y estar informado, te preparas para prevenir desastres.

Usar adecuadamente el agua, mantener los lugares limpios y no quemar basura, son algunas acciones para cuidar el ambiente.

El día del trabajo se celebra porque recordamos la lucha de los trabajadores por mejores condiciones laborales.

Autoevaluación

Es momento de reflexionar sobre tus aprendizajes. Marca con una ✔ lo que lograste.

Soy solidario al...

- [ ] Ofrecer ayuda a quien lo necesita.
- [ ] Participar en actividades en grupo.

Con mi proyecto logré...

- [ ] Identificar un problema de mi comunidad.
- [ ] Planear las actividades.
- [ ] Poner en práctica lo que aprendí.

Bibliografía

Alemán Valdés, Miguel, *La verdad del petróleo en México*, 2a. ed., México, Grijalbo, 1977.

Bachmann, Lia *et al.*, *Recursos naturales y ambientales en un mundo global*, Buenos Aires, Longseller, 2002.

Barona Lobato, Juan, *La expropiación petrolera*, México, Secretaría de Relaciones Exteriores, 1974.

Bermúdez, Antonio, *La política petrolera mexicana*, México, Pemex, 1988.

Ceniceros, Fabián *et al.*, *Geografía general*, México, McGraw-Hill, 1994.

Díaz Barriga Arceo, Frida, *La enseñanza situada: vinculación entre la escuela y la vida*, México, McGraw-Hill, 2006.

Fernández, Justino, "Una aproximación a Coyolxauhqui", en Eduardo Matos *et al.*, *Coyolxauhqui*, México, UNAM, 1963.

Fuentes, Luis Ignacio, *Geografía general*, México, Limusa, 1981.

Frade Rubio, Laura, *La evaluación por competencias*, México, SEP, 2008.

__________, *Planeación por competencias*, México, SEP, 2008.

Marsily, Ghislain de, *El agua*, México, Siglo XXI, 2004.

Guaresti, Juan José, *Los servicios públicos*, Buenos Aires, Universidad de Buenos Aires, 1957.

Novelo, Victoria, *Artes y oficios mexicanos*, México, CIESAS, 2000.

Saint-Onge, Michel, *Yo explico pero ellos... ¿aprenden?*, México, SEP-Fondo de Cultura Económica-Ediciones Mensajero, 2010.

Zabala Vidiella, Antoni, *La práctica educativa. Cómo enseñar*, México, Graó-Colofón, 2008.

Créditos iconográficos

p. 13: (izq.) Tlacotalpan, fotografía de Gonzalo Azumendi, © Photo Stock; (der.) el Castillo Kukulkán, fotografía de J. Moreno, © Photo Stock; **p. 14:** (izq.) madre con sus hijas, fotografía de Frans Lemmens, © Latinstock; (der.) familia, fotografía de Adalberto Ríos, © Photo Stock; **p. 18:** (arr. izq.) auxiliar auditivo, fotografía de Laurent y Pascal, © Photo Stock; (arr.. der.), lentes, fotografía de Raúl Barajas, Archivo Iconográfico DGME/SEP; (ab. izq.) invidentes caminando con bastón blanco, fotografía de Xavier Subias, © Photo Stock; (ab. der.) perro guía, fotografía de Markus Altmann, © Latinstock; **p. 27:** (arr. izq.) vista de San Cristóbal de las Casas, Chiapas, Gobierno de España, Ministerio de Educación, Instituto de Tecnologías Educativas, Banco de Imágenes y Sonidos, fotografía de Ahinoa Martín; (arr. der.) panorámica en Guerrero, fotografía de Porfirio Cadillo, © Photo Stock; (ab. izq.) Ciudad de México, fotografía de Heeb Christian, © Photo Stock; (ab. der.) Zacatecas, México, fotografía de Adalberto Ríos, © Photo Stock; **p. 30:** Castillo de Chapultepec, fotografía de Raúl Barajas, Archivo Iconográfico DGME/SEP; **p. 41:** (arr.) Sol, NASA-ESA, Solar and Heliospheric Observatory Soho; (centro) Luna llena, NASA Human Spaceflight Collection; (ab.) galaxia Virgo, NASA, ESA, and E. Peng (Peking University, Beijing); **p. 43:** (izq.) vista de la Tierra y la vía Láctea, © Photo Stock; (der.) Galaxia espiral M51, NASA/JPL-Caltech/R. Kennicutt (Universidad de Arizona)/DSS; **p. 46:** (arr. izq.) mar, fotografía de Stuart Westmorland, © Latinstock.; (arr. der.) montañas en el desierto, fotografía de Adalberto Ríos, © Photo Stock; (centro) llanura, © Photo Stock; (ab. der.) lago de Pátzcuaro, Michoacán, fotografía de Raga Jose Fuste, © Photo Stock; (ab. izq.) río, fotografía de Raúl Barajas, Archivo Iconográfico DGME/SEP; **p. 51:** (arr. izq.) víbora venenosa, fotografía de Heuclin Daniel, © Photo Stock; (arr. der.) culebra, fotografía de Morales, © Photo Stock; (ab. izq.) *Monument Valley*, Utah, Estados Unidos, fotografía de Sylvain Grandadam, © Photo Stock; (ab. centro) frailecito atlántico, Islas Shetland, Escocia, fotografía de A. Held, © Photo Stock; (ab. der.) elefante en el Parque Nacional Royal Chitwan, Nepal, © Other images; **p. 52:** (de der. a izq. y de arr. hacia ab.) gato montés con cría, fotografía de Perry Conway, © Photo Stock; lechuza, Desierto de Sonora, Arizona, Estados Unidos, fotografía de J. & C. Sohns, © Photo Stock; tucán, fotografía de Wayne Lynch, © Photo Stock; cimarrones, fotografía de Craig K. Lorenz, © Latinstock; lobo, fotografía de Gerald C. Kelley, © Latinstock; tarántula, ©Photo Stock; cangrejo, Islas Galápagos, © Photo Stock; mono araña, fotografía de J. & C. Sohns, © Photo Stock; **p. 53:** tortuga, Lesbos, Grecia, fotografía de M. Woike, © Photo Stock; **p. 54:** imágenes de envase, fotografías de Armando Alvarado, Archivo Iconográfico DGME/SEP; **p. 55:** (arr. izq.) hacendado con sus hijos a caballo en los patios de una hacienda (*ca*. 1910), Estudio Casasola, © 201422, Conaculta.INAH.Sinafo.FN.México; (arr. der.) carreta cargada de gabazo (*ca*. 1880), Estudio Casasola, © 455405, Conaculta.INAH.Sinafo.FN.México; (ab.) retrato de Porfirio Díaz, © Latinstock; **p. 56:** (arr.) tienda mexicana (*ca*. 1908), Morelia, Michoacán, Biblioteca del Congreso de Estados Unidos; (ab.) retrato de Francisco Villa (1920), San Pedro de las Colonias, Coahuila, Estudio Casasola, © 5770, Conaculta.INAH.Sinafo.FN.México; **p. 67:** (der.) el Zócalo (*ca*. 1934), Hugo Brehme, Ciudad de México, © 372108, Conaculta.INAH.Sinafo.FN.México; (izq.) plaza de la Ciudad de México, fotografía de Walter Bibikow, © Photo Stock; **p. 70:** niño celebrando el 15 de septiembre, fotografía de Martín Córdova Salinas; **p. 86:** centro de carga de contenedores, Nueva Jersey, Estados Unidos, fotografía de Spencer Grant, © Photo Stock; **p. 89**: muelle de carga-descarga en el puerto de Veracruz, fotografía: José Enrique Molina, © Photo Stock; **p. 93:** (arr.) máquina para pavimentar, carretera México-Acapulco, © Latinstock; (centro) camión de limpieza, © Other Images; (ab.) electricista arreglando lámpara, © Glow Images **p. 94:** (izq.) *Making Tortillas* (1926), Diego Rivera (1886-1957), óleo sobre tela, 89.5 x 107.3 cm, Universidad de California, © Photo Stock. D.R. © 2011 Banco de México, Fiduciario en el Fideicomiso relativo a los Museos Diego Rivera y Frida Kahlo, av. Cinco de Mayo núm. 2, col. Centro, Del. Cuauhtémoc 06059, México, D.F. Reproducción autorizada por el Instituto Nacional de Bellas Artes y Literatura, 2011; (der.) tortillería, fotografía: Andrew Pini, © Photo Stock; **p. 95:** (izq.) mujeres con máquinas de escribir, © Photo Stock; (der.) café Internet, fotografía de Raúl Barajas, Archivo Iconográfico DGME/SEP; **p. 102:** bomberos, fotografía de Martín Córdova; **p. 106:** (arr. izq.) inundación en Huimanguillo, Tabasco (2009), fotografía de Jaime Ávalos, © Latinstock; (der.) daños de sismo del 19 de septiembre de 1985, © Photo Stock; (ab. izq.) bomberos, Francia, fotografía de Patrick Forget, © Photo Stock; **p. 107:** símbolos, Sistema Nacional de Protección Civil; **p. 108:** símbolos, Sistema Nacional de Protección Civil; **p. 115:** (izq.) hombre con aplanadora, © Photo Stock; (der.) hombres con protecciones y rotomartillo, © Photo Stock; **p. 149:** (de izq. a der. y de arr. ab.) mariposa Monarca, fotografía de Don Johnston, © Photo Stock; ardilla, © Photo Stock; armadillo, fotografía de Wayne Lynch, © Photo Stock; ocelote, fotografía de Morales, © Photo Stock; rana, fotografía de John Cancalosi, © Photo Stock; iguana, fotografía de Stuart Pearce, © Photo Stock; cactus, © Photo Stock; medusas, © Photo Stock; margaritas, fotografía de James Guilliam ©Photo Stock; alga ©Photo Stock; tiburón, fotografía de Carol Buchanan, © Photo Stock; **p. 153:** (de izq. a der. y de arr. ab.): Sol, NASA, Solar Dynamics Observatory; Luna llena, Gobierno de España, Ministerio de Educación, Instituto de Tecnologías Educativas, Banco de Imágenes y Sonidos; pilares de gas en la nebulosa Eagle (M16), NASA, ESA, STScl, J. Hester and P. Scowen (Universidad Estatal de Arizona); anillo de estrellas alrededor de la galaxia *Hoags*, NASA and the Hubble Heritage Team (STScl/AURA); Vía Láctea, NASA/JPL; cometa *Hale-Bopp,* © Photo Stock.

Exploración de la Naturaleza y la Sociedad. Segundo grado
se imprimió por encargo de la Comisión Nacional de
Libros de Texto Gratuitos, en los talleres de
Compañía Editorial Ultra, S.A. de C.V.,
con domicilio en Centeno No. 162, local-2,
Col. Granjas Esmeralda, C.P. 09810, México, D.F.,
el mes de mayo de 2011
El tiraje fue de 2'898,900 ejemplares

Impreso en papel reciclado

¿Qué opinas de tu libro?

Ayúdanos a mejorar tu libro *Exploración de la Naturaleza y la Sociedad. Segundo grado*. Marca con una ✗ tu respuesta.

	☺	☹
¿Te gustó tu libro?	☐	☐
¿Te gustaron las actividades?	☐	☐
¿Te gustaron las imágenes?	☐	☐

	Todas	La mayoría	Ninguna
¿La instrucciones de las actividades fueron claras?	☐	☐	☐

¿Cuáles no fueron claras? ______________________________

¿La información del baúl te ayudó a complementar tus respuestas?	☐	☐	☐

¿Cuáles no lo hicieron? ______________________________

¿Qué te gustaría que tuviera tu libro? ______________________________

____

Gracias

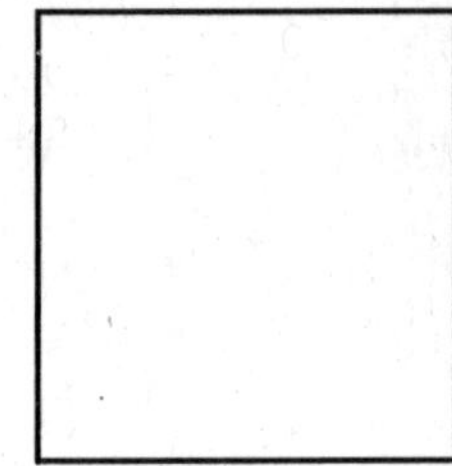

SEP

Dirección General de materiales Educativos
Dirección de Desarrollo e Innovación de Materiales Educativos
Viaducto Río de la Piedad 507, cuarto piso,
Granjas México, Iztacalco,
08400, México, D. F.

Datos generales

Entidad: ____

Escuela: ____

Turno: Matutino ☐ Vespertino ☐ Escuela de tiempo completo ☐

Nombre del alumno: ________________________________

Domicilio del alumno: ______________________________

Grado: __________________

Página 115

¿Cómo ayudas a mejorar el ambiente?

a) Ensuciando el agua.
b) Quemando llantas.
c) Separando los desechos.
d) Tirando basura al suelo.

Respuesta: c

¿Qué sucede si contaminas el ambiente?

a) Afectas nuestra salud, y la de los animales y plantas que habitan el planeta.
b) Se ve feo el cielo.
c) Se beneficia el ambiente.
d) Se renueva el ambiente.

Respuesta: a

¿Con qué acción cuidas los espacios naturales?

a) Tirar basura en ellos.
b) Arrancar ramas de los árboles.
c) Cuidar las plantas.
d) Tirarles piedras a los animales.

Respuesta: c

Selecciona una acción que puedas hacer para mejorar tu comunidad.

a) Clasificar los desechos.
b) Desperdiciar el agua.
c) Tirar basura en la calle.
d) Maltratar las plantas.

Respuesta: a

¿A quiénes se recuerda el 1° de mayo?

a) A los Niños Héroes.
b) A los Mártires de Chicago.
c) Al Escuadrón 201.
d) A los revolucionarios.

Respuesta: b

¿En qué artículo de la Constitución mexicana se habla de los derechos de los trabajadores?

a) Tercero
b) 27
c) 33
d) 123

Respuesta: d

¿Cuál fue uno de los derechos que pedían los trabajadores de Chicago?

a) Trabajar ocho horas diarias.
b) Trabajar sin atención médica.
c) Trabajar con servicio de alimentos.
d) Trabajar menos por el mismo salario.

Respuesta: a

Página 115

¿Qué alimento está más frío?

a) Paleta de hielo
b) Barra de chocolate
c) Sopa
d) Gelatina

Respuesta: a

¿Qué le sucede a una cuchara de metal cuando la pones al Sol?

a) Se calienta.
b) Se enfría.
c) Se reblandece.
d) Se endurece.

Respuesta: a

¿Qué acción te ayuda a prevenir quemaduras?

a) Estar bajo el Sol mucho tiempo.
b) Tocar líquidos sin saber qué son.
c) Prender cuetes dentro de la casa.
d) Usar guantes para tocar cosas calientes.

Respuesta: d

¿Qué le pasa a un hielo si lo pones al Sol?

a) Se pone mas frío.
b) Se conserva seco.
c) Se calienta.
d) Se derrite.

Respuesta: d

Selecciona un desastre.

a) Volcán
b) Inundación
c) Lluvia intensa
d) Fogata

Respuesta: b

¿Para qué se realizan los simulacros?

a) Para prevenir accidentes.
b) Para ver si estamos atentos.
c) Para perder el tiempo.
d) Para jugar a los enfermeros.

Respuesta: a

Una manera de cuidar el agua.

a) Lavar la calle con la manguera.
b) Sólo usar un vaso de agua al lavarse los dientes.
c) Dejar la llave abierta cuando lavas los trastes.
d) Usar el agua sucia para lavar tu ropa.

Respuesta: b

¿Con qué acción cuidas la energía eléctrica?

a) Prender los focos cuando los necesitas.
b) Dejar toda la noche los focos prendidos.
c) Conectar todos los aparatos en un mismo enchufe.
d) Dejar abierto el refrigerador después de sacar alimentos.

Respuesta: a

Página 111

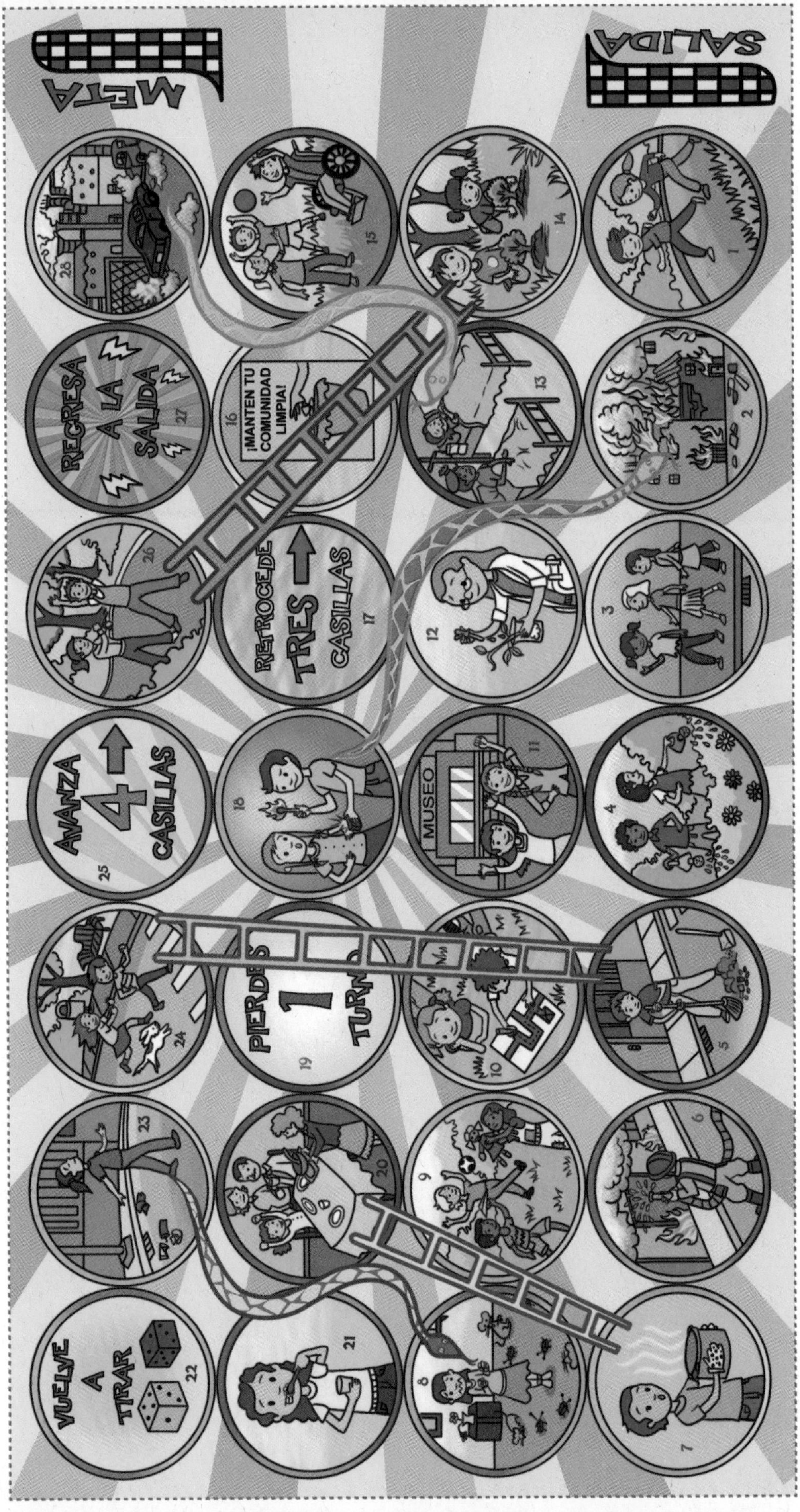
META
SALIDA
REGRESA A LA SALIDA
¡MANTEN TU COMUNIDAD LIMPIA!
RETROCEDE TRES CASILLAS
AVANZA 4 CASILLAS
MUSEO
PIERDES 1 TURN
VUELVE A TIRAR

Página 109

Página 109

Servicio que promueve el conocimiento y el saber.

a) Hospital
b) Escuela
c) Estación de bomberos
d) Servicio postal

Respuesta: b

Herramienta que utiliza un albañil.

a) Computadora
b) Cuchara
c) Serrucho
d) Martillo

Respuesta: b

¿De qué recurso natural se obtiene la madera?

a) Minerales
b) Suelo
c) Árboles
d) Animales

Respuesta: c

¿Cuál de las siguientes actividades es un oficio?

a) Doctor
b) Carpintero
c) Ingeniero
d) Profesor

Respuesta: b

¿Qué aparato utiliza electricidad para funcionar?

a) Pinzas
b) Anafre
c) Licuadora
d) Molcajete

Respuesta: c

¿Qué producto es de origen animal?

a) Tortilla
b) Pan
c) Lana
d) Tela

Respuesta: c

¿Qué oficio ha desaparecido a través del tiempo?

a) Serenos
b) Profesores
c) Actores
d) Cantantes

Respuesta: a

¿Qué acontecimiento se conmemora el 18 de marzo?

a) Revolución Mexicana
b) Promulgación de la Constitución
c) Expropiación Petrolera
d) Promulgación de las Leyes de Reforma

Respuesta: c

¿Qué acción podemos realizar para que el servicio de drenaje funcione adecuadamente?

a) Evitar tirar basura en la calle.
b) No barrer la calle.
c) Vaciar pintura en el drenaje.
d) Tirar basura a la coladera.

Respuesta: a

Página 97

¿Qué producto proviene del campo?

a) Refresco
b) Verduras
c) Plástico
d) Plata

Respuesta: b

¿Qué producto se obtiene del petróleo?

a) Llavero de metal
b) Coche de plástico
c) Silla de madera
d) Cinturón de piel

Respuesta: b

¿Qué recurso natural es vital para el ser humano?

a) Agua
b) Petróleo
c) Montaña
d) Roca

Respuesta: a

¿Qué transporte se usa para trasladarse por mares y océanos?

a) Aeroplano
b) Bicicleta
c) Barco
d) Lancha

Respuesta: c

¿Dónde se pueden comprar diferentes productos?

a) Teatro
b) Escuela
c) Parque
d) Mercado

Respuesta: d

¿Qué recurso natural proporciona luz y calor?

a) El agua
b) El Sol
c) Los animales
d) Las plantas

Respuesta: b

Página 95

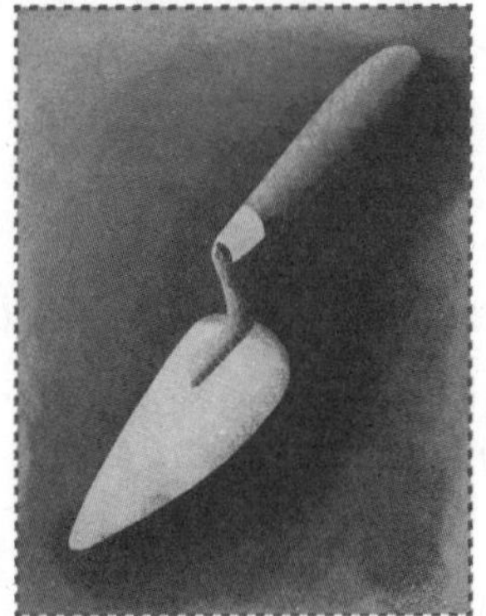

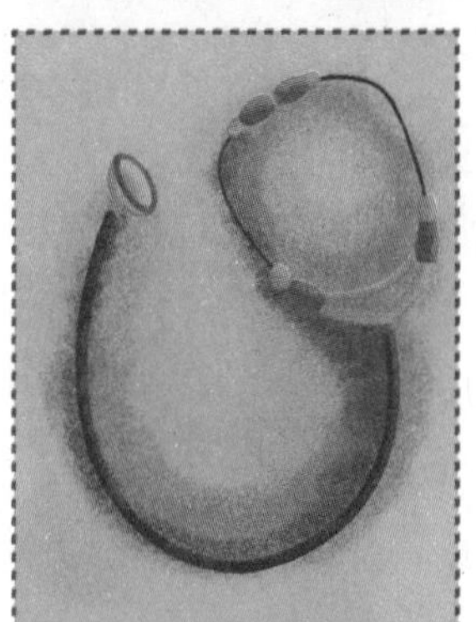

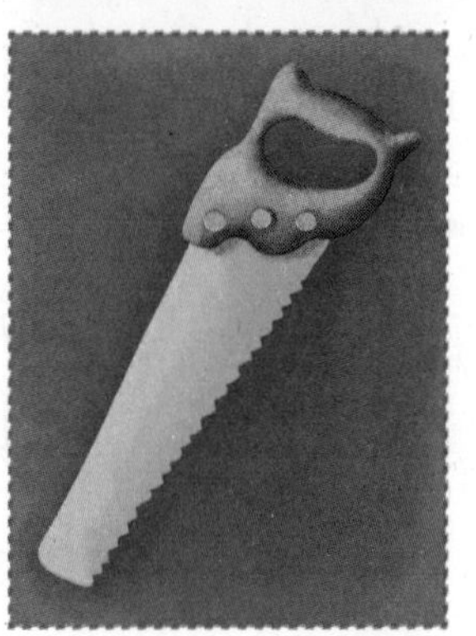

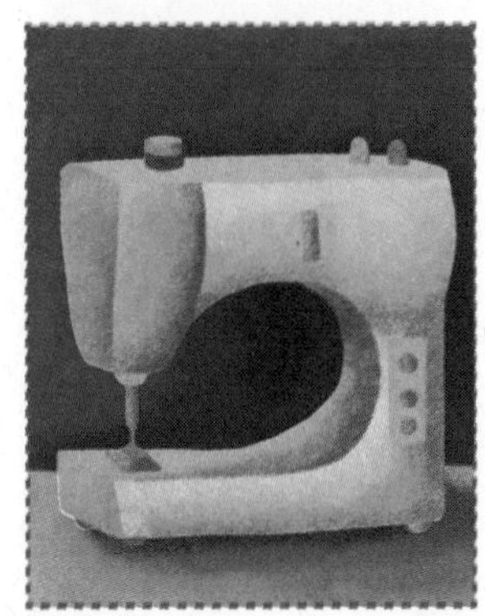

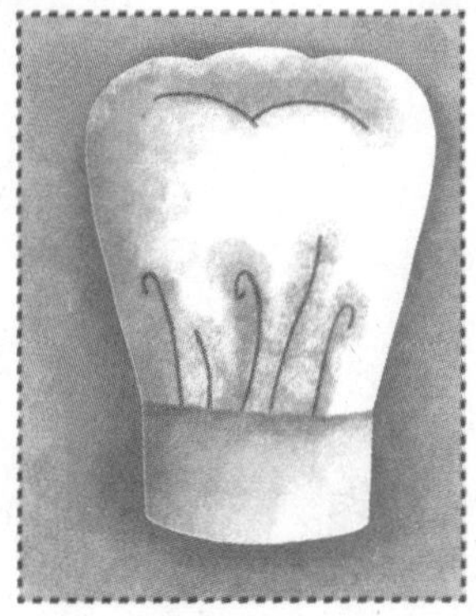

Página 95

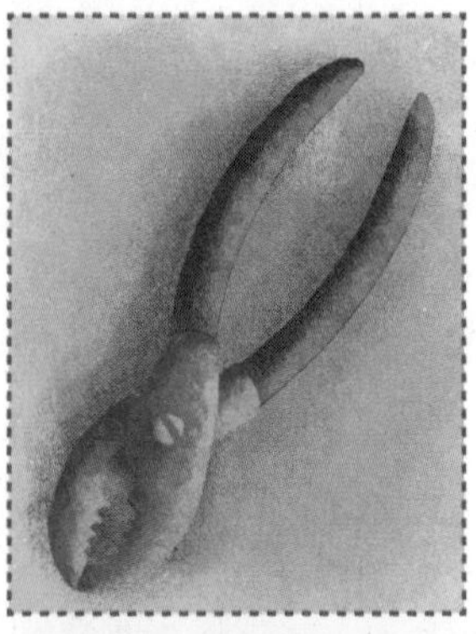

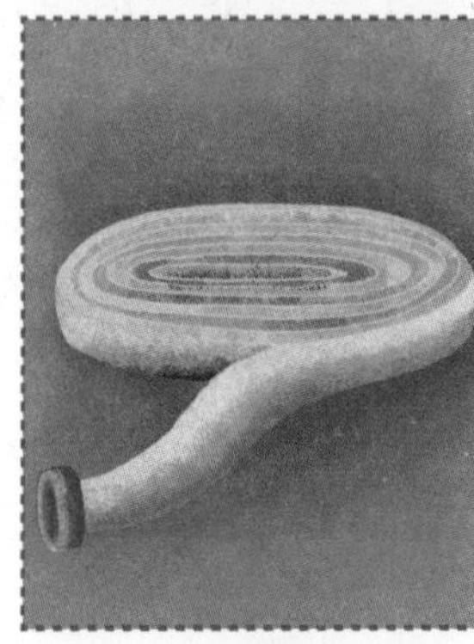

Sección recortable 11

Página 75

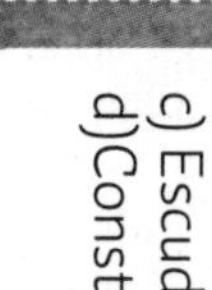

¿Qué símbolo se inspira en una leyenda azteca que narra la búsqueda de la tierra prometida por Huitzilopochtli?

a) Himno Nacional
b) Bandera de México
c) Escudo Nacional
d)Constitución Política

Respuesta: c

¿Cómo se llaman las personas que salen del lugar donde viven en busca de mejores condiciones de vida?

a) Inmigrantes
b) Turistas
c) Migrantes
d) Trabajadores

Respuesta: c

Página 75

Menciona uno de los servicios que puedes encontrar en el campo.

a) Metro
b) Aeropuerto
c) Hospital
d) Clínica de salud

Respuesta: d

¿Cuáles son los tipos de transporte del campo?

a) Barco y helicóptero
b) Camión y caballos
c) Avión y burro
d) Autobús y metro

Respuesta: b

Describe una costumbre de tu familia.

Respuesta libre

¿Qué elementos son parte de las tradiciones y costumbres de una comunidad?

a) La comida, la música y su vestimenta.
b) La vestimenta, la forma de hablar y su gente.
c) La música, la cortesía de su gente y los colores de la ropa.
d) El lugar, la hora y las creencias.

Respuesta: a

El festejo de día de muertos y la danza de los viejitos son ejemplos de...

a) Tradiciones
b) Conmemoraciones
c) Bailes
d) Costumbres

Respuesta: a

¿Cómo se llama la manera en que cada pueblo celebra una tradición, y que se transmite de generación en generación?

a) Hábito
b) Conducta
c) Norma
d) Costumbre

Respuesta: d

¿Cuál es el símbolo patrio de la independencia, la pureza y la unión de los mexicanos?

a) Niños héroes
b) Constitución Política
c) Bandera Nacional
d) Independencia de México

Respuesta: c

Una razón para que las personas salgan de su comunidad para establecerse en otra.

a) Hacer amigos
b) Tener un lugar bonito para vivir
c) Buscar trabajo
d) Encontrar un lugar para divertirse

Respuesta: c

Sección recortable 11

Es un lugar con casas de teja, sembradíos, donde las personas viajan en caballos, carreteras o caminando.

a) Ciudad
b) Ejido
c) Campo
d) Metrópoli

Respuesta: c

Es un lugar donde hay casas, edificios, carros y muchas personas caminando por las calles.

a) Ciudad
b) Ejido
c) Campo
d) Colonia

Respuesta: a

¿En dónde trabaja la gente de la ciudad?

a) Sembradíos
b) Mar
c) Oficinas y fábricas
d) Establos

Respuesta: c

Sección recortable 10

Sección recortable 9

Página 57

Cuerpo de agua salada que cubre la mayor parte de la Tierra.

a) Estanque
b) Laguna
c) Río
d) Mar

Respuesta: d

Describe un paisaje.

Respuesta libre

¿Qué sucede con un hielo cuando lo tomas en tu mano por un minuto?

a) Se calienta
b) Se derrite
c) Nada
d) Enfría la mano

Respuesta: b

¿Qué sucede cuando pones a hervir agua?

a) Se congela
b) Se enfría
c) Se evapora
d) Se desaparece

Respuesta: c

¿Qué tipo de animales son el mono araña y el coyote?

a) Terrestres
b) Marinos
c) Voladores
d) Subterráneos

Respuesta: a

El 20 de noviembre de 1910 se inició la Revolución Mexicana. ¿Un personaje que participó fue?

a) José María Morelos
b) Benito Juárez
c) Miguel Hidalgo y Costilla
d) Francisco Villa

Respuesta: d

Página 58

¿Cuál es la estrella que nos da luz y calor?

a) Sol
b) Luna
c) Marte
d) Tierra

Respuesta: a

¿Qué se necesita para que haya vida en la Tierra?

a) El calor de la Tierra
b) La luz del Sol
c) El calor de los seres vivos
d) La luz de la Luna

Respuesta: b

¿Cuáles son los nombres en lengua náhuatl del Sol y de la Luna?

a) Tonatiuh y Meztli
b) Huitzilopochtli
c) Coyolxauhqui
d) Tláloc

Respuesta: a

No tiene luz propia y sólo se ilumina por la luz solar.

a) Sol
b) Luna
c) Tierra
d) Estrellas

Respuesta: b

¿Cuáles son los cuerpos celestes con luz propia?

a) Tierra
b) Estrellas
c) Luna
d) Satélite

Respuesta: b

Describe algunas características de la Luna.

Respuesta libre

Acciones que puedes realizar para cuidar el agua.

a) Cerrar la llave
b) Arreglar las fugas
c) No usarla
d) Pagarla

Respuesta: a

Página 54

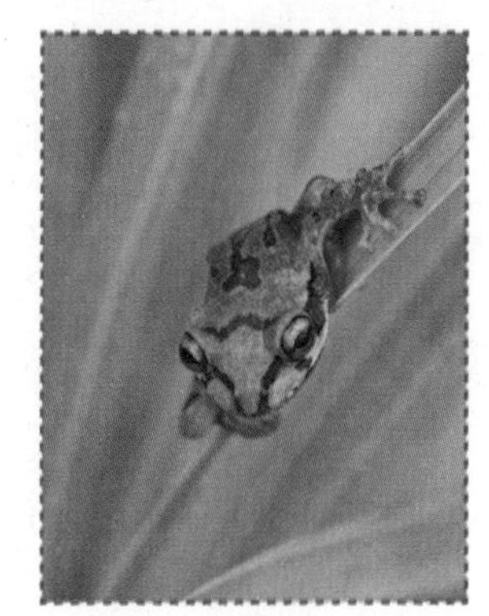

Página 47

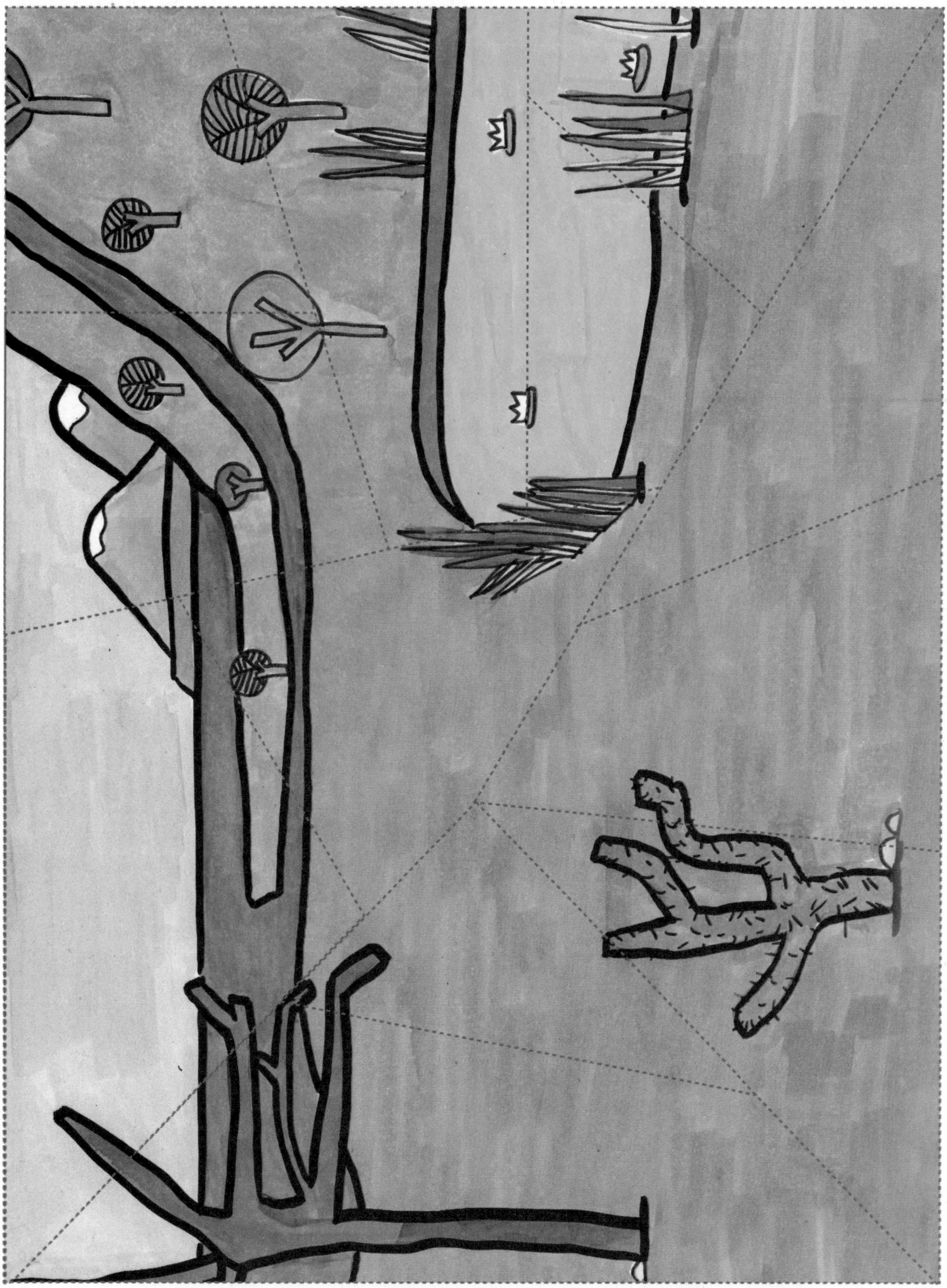

Página 43

Sol

Sol

Estrella que produce luz y calor.

Luna

Luna

Satélite natural de la Tierra.

Nebulosa

Nebulosa

Nubes de gas y polvo cósmico.

Estrella

Estrella

Cuerpo celeste que brilla con luz propia.

Vía Lactea

Vía Lactea

Galaxia formada por millones de estrellas.

Cometa

Cometa

Cuerpo de hielo y polvo que gira alrededor del Sol.

Página 33

Menciona los cuatro puntos cardinales.

a) Derecha, izquierda, frente, atrás
b) Arriba, abajo, atrás, frente
c) Dentro, fuera, encima, abajo
d) Este, oeste, norte y sur

Respuesta: d

El punto cardinal por donde se encuentra el Sol al amanecer.

a) Este
b) Oeste
c) Norte
d) Sur

Respuesta: a

Del Plato del Bien Comer selecciona uno de los grupos de alimentos.

a) Frutas y cereales
b) Vitaminas y minerales
c) Verduras y frutas
d) Minerales y leguminosas

Respuesta: c

¿Cómo se llama el país donde vives?

a) China
b) Japón
c) México
d) Suecia

Respuesta: c

¿Para qué es necesaria una dieta correcta?

a) Para convivir
b) Para divertirnos
c) Para respirar bien
d) Para crecer sanos

Respuesta: d

¿Qué celebramos en México el 13 de septiembre?

a) La defensa del Castillo de Chapultepec
b) La batalla de Puebla
c) La Revolución Mexicana
d) La guerra de Independencia

Respuesta: a

Página 33

¿Para qué sirve el oído?

a) Escuchar
b) Hablar
c) Mirar
d) Sentir

Respuesta: a

¿Para qué sirven los ojos?

a) Pensar
b) Hablar
c) Ver
d) Sentir

Respuesta: c

¿Cuántos meses tiene un año?

a) 12
b) 9
c) 18
d) 10

Respuesta: a

¿Qué aparato ayuda a desplazarse a una persona ciega?

a) Bastón
b) Silla de ruedas
c) Lentes
d) Computadora

Respuesta: a

¿Qué sucede si se introduce un objeto extraño en tus oídos, ojos o nariz?

a) Mejora mi salud.
b) Afecta mis sentidos.
c) Lastima mi ánimo.
d) Mejora mis sentidos.

Respuesta: b

Describe cómo era tu escuela antes y cómo es ahora.

Respuesta libre

Menciona quién se encarga de mantener tu escuela limpia y en buenas condiciones.

Respuesta libre

Página 33

6 Avanza 2 casillas

7

8

9

10 1° Nivel

12 Avanza 2 casillas

13

14

15

16

17

18 Avanza 2 casillas

19

2°

31

32 3° Nivel

33

34

35 Avanza 2 casillas

36

37

38

40

41

42 Avanza 2 casillas

43

55 5° Nivel

56

57 Avanza 2 casillas

58

59

60 META

Preguntón

Para jugar se necesita un dado.

1. Se requiere mínimo dos jugadores.
2. Las tarjetas se colocan al centro, con las preguntas boca abajo.
3. Por turnos cada jugador lanza el dado y el compañero toma una tarjeta, lee la pregunta y si contesta correctamente, avanzará las casillas indicadas por el dado.
4. En este nivel ganará el primero en llegar a la casilla 10 .
5. Al término de cada bloque, obtendrás las tarjetas para avanzar a los siguientes niveles.

Página 33

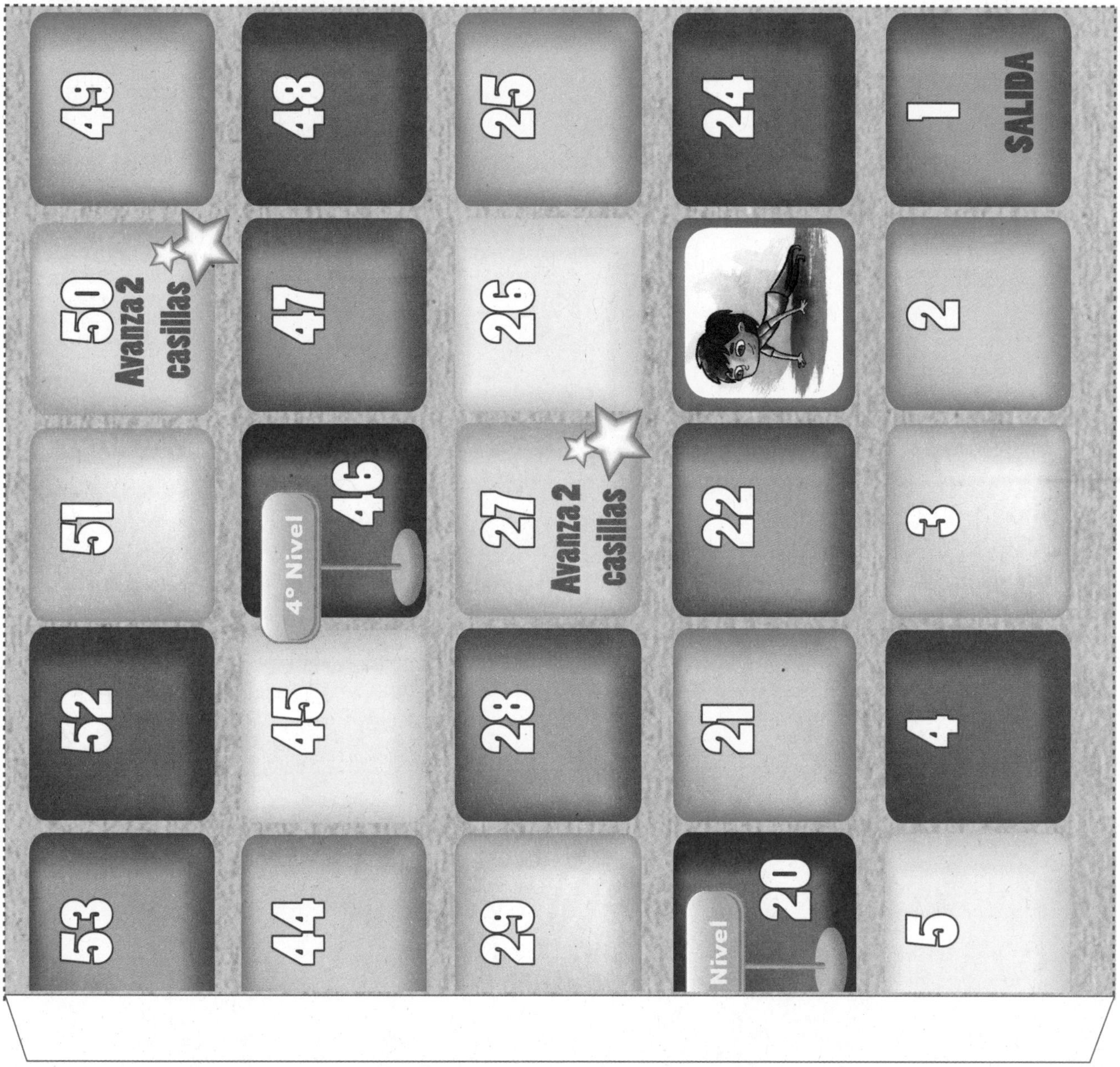

1 SALIDA

2

3

4

5

20 Nivel

21

22

24

25

26

27 Avanza 2 casillas

28

29

44

45

46 4° Nivel

47

48

49

50 Avanza 2 casillas

51

52

53

Página 26

Sección recortable 3

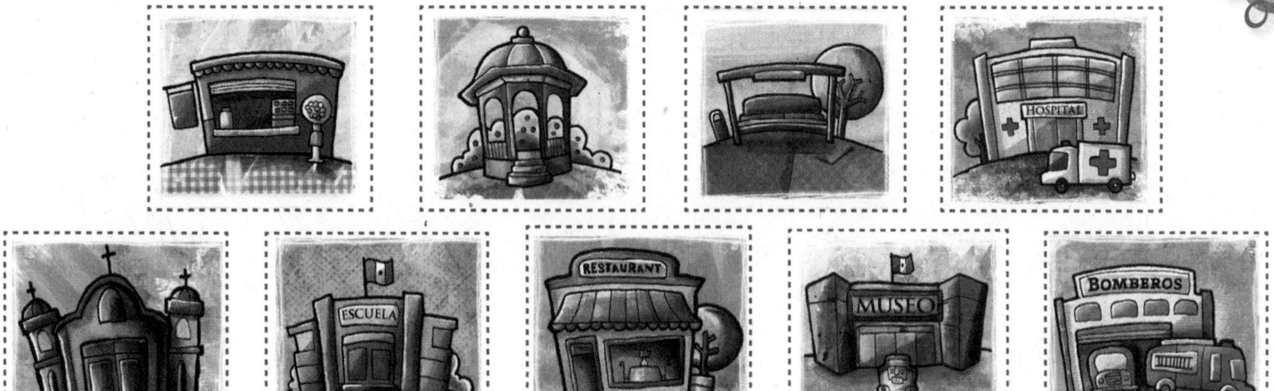

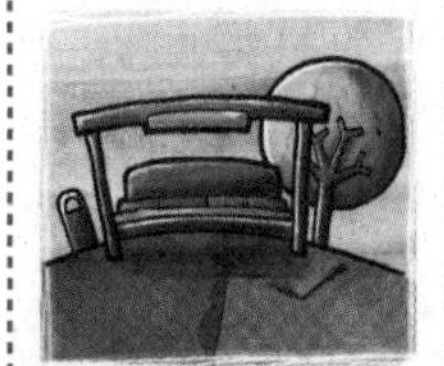

Página 14

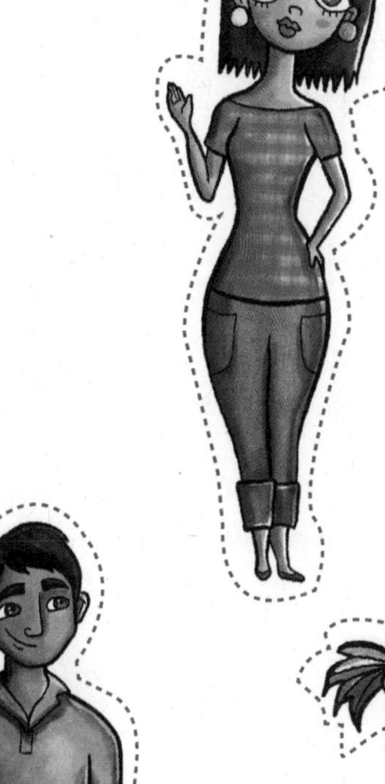

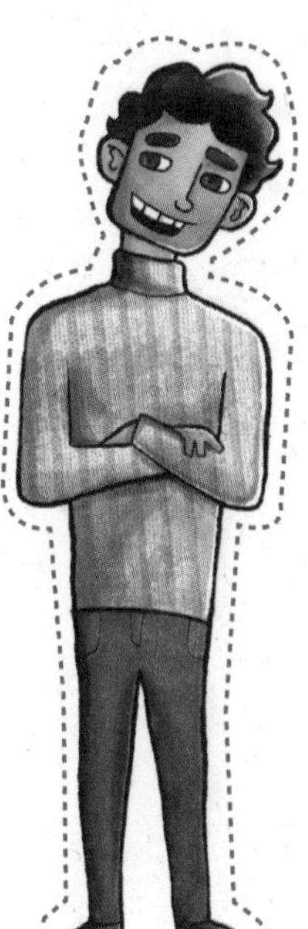

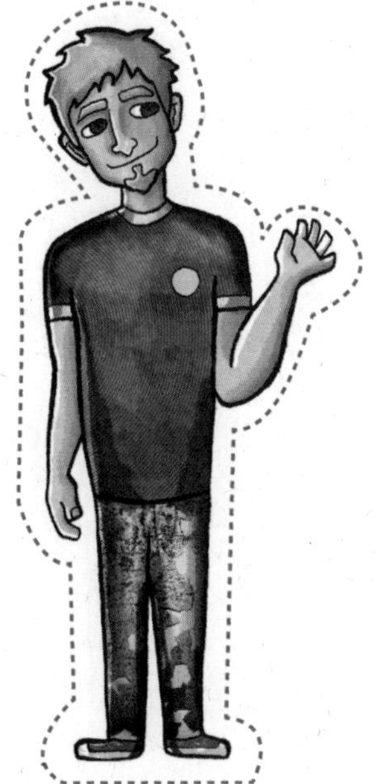

10

Página 12

Yo

Febrero

Mi estatura es ______

Mi peso es ______

Otro cambio ______

Yo

Junio

Mi estatura es ______

Mi peso es ______

Otro cambio ______

Yo

Abril

Mi estatura es ______

Mi peso es ______

Otro cambio ______

Página 12

Yo

Agosto

Mi estatura es ____

Mi peso es ____

Otro cambio ____

Yo

Diciembre

Mi estatura es ____

Mi peso es ____

Otro cambio ____

Yo

Octubre

Mi estatura es ____

Mi peso es ____

Otro cambio ____